홍옥 도련님과 바다 소나무

홍옥 도련님과 바다 소나무

발　행 | 2024년 04월 15일
저　자 | 립나
펴낸이 | 한건희
펴낸곳 | 주식회사 부크크
출판사등록 | 2014.07.15.(제2014-16호)
주　소 | 서울특별시 금천구 가산디지털1로 119 SK트윈타워 A동 305호
전　화 | 1670-8316
이메일 | info@bookk.co.kr

ISBN | 979-11-410-8096-9

홍옥도련님과 바다소나무

립나 지음

작품 비하인드 및 추후 발행될 외전은
작가의 홈페이지(livenow.postype.com)에서
보실 수 있습니다.

※1920년대 가상의 대한민국을 배경으로 하는 작품입니다. 그 당시의 경제/사회/문화적 배경과 유사하지만 일제의 침략이 없다는 설정이며, 신분과 성별에 따른 공식적인 차별도 없습니다. 주인공이 사용하는 경어와 호칭, 대우 차이는 고용자와 고용인 관계 및 연령에 따른 것입니다.

***

"해송아, 도련님이 부르셔."

부엌 뒤 광에서 남은 식재료를 확인하고 정리하던 해송이 자신을 부르는 소리에 문 밖을 내다보았다. 애란은 물기 묻은 손을 자신의 앞치마에 닦으며 부엌으로 들어왔다.

"다 안 끝났으면 내가 할까?"
"아냐. 아직 부족한 건 없어서 나머지는 내일 아침 전에 확인하면 될 것 같아."

해송은 감자의 개수를 마지막으로 적은 수첩에 연필을

꽂아 앞치마 주머니에 넣었다. 어느새 아궁이 앞에 앉아 손에 불을 쬐는 애란을 지나쳐 2층 서재로 올라갔다. 책 읽는 것을 좋아하는 도련님은 낮 시간의 대부분을 서재 에서 보냈다.

"도련님, 부르셨어요?"
"해송아."

도련님의 굽이치는 곱슬머리는 오후의 햇빛을 받아 좀 더 밝은 색으로 물들어 보였다. 뽀얀 햇살 속에서 환하 게 웃고 있는 도련님을 보면서, 해송은 도련님의 흰하게 드러난 목덜미가 가을볕에 타지는 않을까 걱정스러웠다.

"어떤 도련님?"
"아이, 어떤 도련님은요. 루비 도련님이죠."
"그렇지."
"이제 이 집에 도련님은 한 분뿐인데 꼭 그러셔야겠어요?"
"응. 꼭 그래야겠어. 꼭 이름 불러줘."

루비는 고개까지 크게 끄덕이며 말했다. 지난봄, 첫째 인 루영이 결혼을 하고 분가해 나가면서 이 집에서 도 련님으로 불릴만한 사람은 이제 루비 하나뿐이었다. 해 송은 창가로 다가가 안 쪽의 창호지 문을 닫았다. 건축 가인 큰 어르신이 직접 지은 2층 한옥은 해송이 어릴 때 있었던 기와집과는 달리 이렇게 섬세하고 신기한 부분이 많았다. 안창에 붙은 창호지가 햇빛을 가렸고 루비의 깨끗한 목에도 그늘이 생겼다.

"무슨 일로 부르셨어요?"
"음… 책상이 어지러워서 책에 집중이 안 돼. 좀 정리 해 줄래?"

해송은 재빨리 책상 앞으로 다가갔다. 책상 위엔 모든 것들이 평소와 같이 제자리에 놓여있었고 아주 깨끗하게 정돈되어 있었다.

"제 눈엔 깨끗하기만 한데요."
"아냐… 거기 만년필이 삐뚤게 놓여있잖아."

해송은 살짝 기울게 놓여있는 만년필을 반듯하게 움직였다. 루비는 그게 뭐가 그렇게 좋은지 시원하게 이를 드러내며 활짝 웃었다.

"이제 됐어요?"
"응. 해송아, 올라온 김에 잠깐 앉아 있다 가. 내가 또 필요한 게 생길 수도 있으니까."

루비는 책상 모서리 쪽에 놓인 의자를 눈짓으로 가리

키며 해송에게 책 한 권을 건넸다. 해송은 책을 받아 들고 앉았다. 창문을 정면으로 바라보는 자리였다. 루비가 이렇게 시간을 만들어주는 덕분에 해송은 심심치 않게 독서를 하곤 했다.

해송은 아까 집안일을 하느라 동동 걷어붙였던 저고리 소매를 풀어냈다. 조금 젖어 구겨진 소매를 매만지면서 힐긋 루비를 곁눈질했다. 제 도련님은 오늘도 빳빳하게 풀을 먹인 흰색 셔츠를 입고 있었다. 그 위를 가로지르는 밝은 색의 멜빵 역시 알맞게 당겨져 보기가 좋았다. 어렸을 때는 저런 모습이 마냥 귀여웠는데 이제는 똑같은 차림에도 결코 귀여운 느낌은 없었다. 물론 해맑게 웃을 때는 여전히 복슬복슬한 강아지 같았지만.

자그마한 어린애였던 도련님은 몇 해 전부터 하루가 다르게 키가 쑥쑥 자랐다. 스무 살이 넘은 지금도 조금씩 체격이 커져서 매년 예복을 새로 맞춰야 할 정도였다. 해송은 자신의 치마폭에 닿을 듯이 길게 뻗은 루비의 다리를 보다가 몇 번 눈을 깜박여 시선을 흩트렸다. 루비는 자기 앞에 놓여있던 나무로 된 작은 육각쟁반을 해송 쪽으로 밀었다.

"해송아, 약과 먹어."

"……"

"얼른."

해송은 잠시 망설였다. 방금까지 광 정리를 하고 그전엔 점심 설거지까지 해서 딱 출출할 때이긴 했다. 근데 이 약과는 집에서 산 게 아닌데… 해송은 눈앞의 약과와 낯가림을 했다. 셈이 빠른 해송은 식재료를 비롯해서 집안에 필요한 물건들의 값을 치르는 역할을 했다. 어떤 것을 사야 할지 결정하고 집안 어른들이 요구하는 물건들을 주문하는 일은 윤씨 아주머니가 도맡아 했고, 그 옆에서 목록을 작성하고 판매점에 줘야 할 돈을 계산하는 것이 해송의 주된 업무였다. 그리고 해송에게 또 하나의 주 업무가 있다면, 바로 루비 도련님을 가장 가까이서 보필하는 일이었다.

루비가 아홉 살이고 해송이 일곱 살이던 해의 어느 여름날, 지금까지도 정체를 알 수 없는 누군가가 대문 밖에서 놀고 있는 루비에게 경단 두 알을 준 일이 있었다. 사랑받는 일에 익숙했던 루비는 냉큼 경단을 받아 들고 마당에 있던 해송에게 달려와 나눠먹자고 했고, 해송은 그런 루비의 손을 쳐 경단을 땅에 떨어뜨렸다. 놀란 루비가 소리도 내지 못하고 큰 눈에 찰랑찰랑 눈물을 모으고 있는 동안 해송은 떨어진 경단을 두 발로 걷어차며 또랑또랑한 목소리로 소리를 질렀다. 마님! 마님! 큰 소리에 놀란 루비의 어머니가 마당으로 나와 봤을 때는, 해송이 그 작은 고사리 손으로 루비의 손목에 매달린 채 잉잉 울고 있었다. 무슨 일인지 자초지종을 확인하는 사이 루비의 여린 살갗이 붉게 부어올랐고, 후에 알고 보니 해송이 발로 차 흙먼지에 처박았던 그 경단에는 목숨이 위험할 수도 있는 몽혼제가 가득 차 있었다.

사람들은 그게 정신이상자의 소행일 거라든가, 부잣집 아들인 루비를 데려다가 몸값을 요구하려던 거라든가, 그 당시 횡행하던 인신매매단의 수법이라든가 여러 가지 추측을 했다. 해송은 그때 자기가 왜 그랬는지, 그 경단을 먹으면 위험해질 거라는 걸 어떻게 알았는지는 자기도 모른다고 했다. 그저 해송은 그 어린 나이부터 세상에 거저는 없고, 특히나 먹을 것은 절대로 아무에게서나 받아먹어서는 안 된다는 사실을 알았을 뿐이었다. 해송의 본능이 루비를 구한 셈이었다.

그날부터 루비는 꽤 오랫동안 집 안에 갇혀 살았고 해송은 루비의 전담 하인이 되었다. 어른이 되어 바깥활동을 하기 전까지, 루비는 해송이 가져다주는 음식이 아니면 먹지 않았고 가족을 제외하고선 제 방을 출입할 수 있는 것도 해송에게만 허락했다. 그래서 해송이 몸이 아파 식사를 가져다주지 않으면 루비도 밥을 먹지 못했고 루비가 방에 틀어박힐 때면 해송만이 그를 보살필 수 있었다. 대대로 부유하게 지냈던 루비의 부모님은 남을 돌보는 데 익숙하지 않았다. 그들은 루비의 행동이 좀 유난스럽기는 해도 해송에게 목숨을 빚졌다고 생각하면 그럴 수 있다고 생각했다. 루비는 해송과 둘이 있을 때면, 그때 손 끝에 남은 어렴풋한 흉터를 매만지며 해송에게 말하곤 했다. '따지고 보면 지금 내 목숨은 네 것이나 마찬가지야.'

약과를 눈앞에 두고 망설이던 해송이 입술을 옴짝거리고 말했다.

"귀한 거 아니에요?"
"귀한 거니까 네가 먹어야지. 장에 나갔다가 네 생각이 나서 사 왔다."

루비는 육각쟁반을 조금 더 가까이 밀어주었고 해송은 루비와 약과를 번갈아보다가 조심스러운 손길로 윤기가 흐르는 약과를 들어 한 입 베어 물었다. 정교한 모양만큼이나 고운 맛이었다. 둥글지만 끝이 뾰족하게 올라간 눈을 내리깔고 말없이 냠냠 약과를 깨무는 해송을 보면서 루비는 그 모습이 꼭 아침마다 장독대에 놀러 오는 고양이 같다고 생각했다. 새카만 털에 노란 눈을 하고 흰색 털이 목도리를 두른 것처럼 섞여있는 고양이. 루비는 입가에 번지는 미소를 숨기지 않았다. 해송이 천천히 약과 하나를 다 먹었을 때, 해송을 지켜보던 루비가 말을 꺼냈다.

"형한테 연락이 왔는데 형수님이 아이를 가지셨대."

"작은 마님께서요? 큰 경사네요."

"응."

"도련님… 아, 루비 도련님도 기쁘시겠어요."

"맞아. 이제 나도 조카가 둘이나 생겼어."

루비는 책장 끝을 손가락에 걸고 고개를 끄덕였다. 올 초에 여동생 루아가 첫아이를 낳았으니 이번이 두 번째 조카였다. 루비는 모든 것이 순조롭다고 생각했다. 해송은 앞치마에 끈적이는 손 끝을 닦았다. 머리를 살짝 기울인 채 입술을 옴짝거렸지만 이번에는 말로 이어지지 않았다.

"왜 더 먹지 않구."

평소 약과라면 앉은자리에서 두세 개도 끄떡없던 해송이 금방 손을 털자 루비가 의아한 목소리로 물었다. 해송은 그저 고개를 가로저은 채 다시 책으로 시선을 돌렸다. 루비는 그런 해송을 보며 금세 시무룩해진 얼굴로 말했다.

"그럼 내 방에 둘 테니까 언제든지 먹고 싶을 때 와서 먹어."

"언제든지요?"

"그래. 내가 자고 있을 때도 괜찮으니까 아무 때나 와서 꼭 먹어라.”

해송이 입꼬리를 꾹 누르며 웃었다. 루비도 마주 웃었다. 꼭 해송의 거울이 된 것처럼 루비는 해송이 웃으면 웃었다. 해송은 그 사실을 눈치채는 것이 두려워 조용히 책만 읽었다.

***

해송은 줄자와 시침핀, 반짇고리 같은 것들이 든 바구니를 팔에 걸고 루비의 방문을 두드렸다. ‘네.’ 침착한 루비의 목소리가 낮았다. ‘해송이예요.’ 해송은 스스로 이름을 말하는 게 낯간지럽다고 생각했다. 하지만 ‘저예요.’라고 말하는 것은 더 간지럽고 어려웠다. 해송이 대답을 기다리기도 전에 루비가 미닫이 문을 벌컥 열었다. 열린 문 틈새로 보인 루비의 얼굴엔 이미 웃음이 가득했다.

“왔어?”
“네. 마님께서 도련님 예복 새로 맞추신다고 치수 좀

재오라고 하셔서요."
"응. 좋아."

루비는 자신의 앞을 지나는 해송의 머리꼭지를 보며
헤헤 웃었다. 루비가 등 뒤로 문을 닫고 냉큼 해송의
뒤를 따랐다.

"그리고 지금 입으시는 옷들 중에 수선이 필요한 것들도
가져오라 하셨어요."
"그래, 그래."

루비가 멜빵을 벗어 의자 등받이에 걸쳐놓았다. 해송은
책상 위에 수첩을 펼쳐놓고 루비의 몸을 따라 줄자를
붙였다. 어깨선에서 손목까지 길이를 재는 동안 루비는
자연스럽게 팔을 떨어뜨리고 반듯이 서 있었다. 루비의
왼쪽 어깨 끝에서 시작되어 오른쪽 어깨 끝까지 이어
지는 길이는 지난 봄보다도 늘어있었다.

"잠깐 팔 좀 들어보시겠어요?"

루비가 순순히 팔을 양쪽으로 벌렸다. 해송은 루비의
등 뒤로 줄자를 넘겨 쥐고 가슴 앞으로 당겨 가슴둘레
를 쟀다. 루비가 숨을 들이쉬고 내쉴 때마다 줄자의 눈
금도 함께 오르내려서 어떤 걸 기준으로 적어야 할지

모호했다. 해송이 짧게 고민하는 동안 루비는 해송의 콧잔등을 내려다보았다. 가만히 있으면 약간은 새침해 보이는 해송의 아랫입술은 위에서 내려다볼 때면 유독 더 도톰해 보였다. 해송이 더 큰 치수를 적기로 결정하고 돌아설 때까지 루비는 크게 부푸는 자신의 호흡을 말리지 못했다.

허리 치수를 재기 위해 해송이 다시 루비의 허리에 팔을 둘렀을 때, 루비는 그대로 해송의 동그란 어깨를 감싸 안고 싶다고 생각했다. 살짝 고개를 기울여 줄자를 들여다보는 해송의 향기를 들이마시면서, 루비는 넘치는 마음을 조용히 목울대 뒤로 삼켜냈다.

해송은 루비의 바지 허리선 위에 줄자를 둘렀다. 더 정확히 치수를 재려면 바지춤을 열고 셔츠 아래로 줄자를 넣어 겹쳐야 했지만 그 정도 오차는 양장점 아저씨에게 맡기기로 했다. 해송의 손가락에 스치는 루비의 납작한 아랫배는 판판한 모양만큼이나 단단했다. 해송은 이 와중에 그런 걸 느끼는 자신이 주제넘다고 생각했다. 줄자를 풀어내고 다시 책상 쪽으로 몸을 돌리면서 아주 작게 한숨을 뱉었다.

해송이 루비의 다리 길이를 재기 위해 몸을 낮췄을 때, 루비가 해송의 팔을 붙잡고 그를 일으켜 세웠다.

"바지는 안 재도 돼. 저번이랑 똑같아."

속삭이는 듯한 말투로 다급하게 말하는 루비를 보면서 해송은 뭔가 말할 것처럼 입술을 벌렸다가 다시 닫았다. 바짓단은 복사뼈가 훤히 보이게 올라가 있었다.

"그… 해송아, 나도 치수 재는 거 알려줄래?"
"네?"
"너 하는 거 보니까 멋있어 보여서. 나도 나중에 누구 재는 거 도와줘야 될 수도 있잖아."
"아… 그렇죠."

그래. 도련님에게 가까운 사람이 생긴다면 도련님도 그 사람의 치수를 재 줄 수 있겠지. 해송은 다른 사람의 몸에 줄자를 두르는 루비를 상상했다. 상상 속에서 루비와 그 인물은 무척이나 오붓했다. 해송은 상상을 잘라내듯이 눈을 깊게 감았다 뜨고 루비의 손에 줄자를 넘겼다.

"여기 튀어나온 부분에서 손목뼈 끝나는 곳까지 재는 거예요."
"응."
"그리고 가슴둘레는…"

순서대로 설명하던 해송이 잠시 멈칫거렸다. 그리곤 재빨리 루비의 커다란 손에 걸린 줄자를 가져와 직접 자기의 가슴에 두르고 뒤를 돌았다.

"어차피 이다음에 바로 어깨 길이 재야 하니까 뒤에서
 보시겠어요? 앞은 제가 잡을게요."
"으응."

루비는 해송의 등 뒤로 닿아있는 줄자 양 끝을 잡았다.
자신의 손 앞에 있어서 그런지, 줄자가 겹쳐지는 반듯
한 등이 너무 작아 보였다. 그 모습과는 상반되는 진중
한 목소리가 어깨 길이 재는 방법을 안내했다. 루비는
줄자가 평평히 펼쳐지도록 해송의 어깨선을 따라 손가
락을 옮겼다. 손 끝 아래 해송의 어깨가 느껴졌다. 잠
시 그대로 멈춰있던 루비가 손을 들어 손가락 바깥쪽
을 해송의 귓바퀴에 살며시 갖다 댔다. 해송의 어깨가
흠칫 떨렸다.

"해송아, 귀가 빨개."
"…날이 더워서요."

루비는 말없이 해송의 흘러내린 머리카락을 귀 뒤로
넘겨주었다. 루비의 단정한 손톱이 해송의 피부에 스쳤
다. 해송은 한 발자국 앞으로 걸음을 옮겨 루비와 거리
를 벌렸다.

"수선 필요한 옷들이요…"

해송은 자신의 목소리가 떨린 것은 아닌지 걱정하며 뒤를 돌았다. 루비는 여느 때와 같은 얼굴로 웃으며 옷장을 열고 옷을 몇 벌 꺼냈다.

"이것들은 오늘 잰 치수대로 늘리면 될 거야. 그리고 바지들은… 한 치 정도 늘려달라고 해줘. 저번이랑 똑같지만 그래도 키가 클 수도 있는 거니까."

해송은 챙겨 온 보자기를 바닥에 펼쳤고 루비가 그 위로 차곡차곡 옷을 쌓았다. 그때 루비의 방 문을 두드리는 소리가 들렸다.

"도련님. 손님 오셨습니다."
"누구?"

루비가 어리둥절한 얼굴로 물었다. 문 밖의 목소리가 말했다. 김연웅 선생이라 하십니다. 아아. 미지근한 반응을 보인 루비가 시계를 한 번 보더니 휘적휘적 걸어가 문을 열었다. '가자. 식사는 응접실에서 할게. 해송이는 내 방 정리해야 하니까 일단 우리만 가지.' 루비는 복도로 나간 다음 뒤를 돌아 문을 닫았다. 루비가 떠나자 방 안은 순식간에 고요해졌다. 문이 닫히기 전 루비가 해송에게 보낸 눈짓은 아마도 천천히 있다 나오라는 뜻일 것이었다. 하지만 그 뜻을 모두 알면서도 해송은 재빠르게 손을 움직였다. 루비의 특별 대우에 익숙해져서는 안 될 일이었다.

연웅은 루비가 책방에서 만난 인물이었다. 친구라고 할 수 있는 관계였지만 그렇게 깊은 대화를 나눌 정도의 교류가 있는 사이는 아니었다. 둘의 관계는 연웅의 적극성으로 시작되고 이어져 왔다고 할 수 있었다. 해송은 연웅을 그다지 탐탁하게 생각하지 않았다. 그건 그의 너무 노골적인 행동과 기세가 맘에 들지 않아서였지만, 혹시나 루비에 대한 자신의 마음이 그 판단에 영향을 주는 건 아닌가 싶어 태도를 주의하고 있었다.
루비와 연웅은 식사가 준비되는 동안 응접실에서 차를 마셨다. 해송은 갓 지은 밥을 소복이 퍼서 쟁반에 받쳐 들고 응접실로 들어갔다.

"고맙소, 김 선생. 우리 누이가 의사만 되면 내 지금까지 빚들은 한 번에 갚겠소이다."
"공부하는 학생이 책 살 돈이 없어서야 안 되지요. 부디 훌륭한 의사가 되길 바라겠습니다."

연웅이 큰 소리로 껄껄대며 웃었다. 또 돈을 빌리러 왔나 보군. 해송은 정갈한 정식이 갖춰진 쟁반을 식탁 위에 놓으며 속으로 혀를 찼다. 바보같은 제 도련님은 마주앉아 얼굴에 옅은 미소만 띠고 있었다. 상이 모두 차려지고, 해송은 조금 떨어진 곳에서 루비를 바라보았다. 하나, 둘, 셋. 루비가 은수저로 세 번 국을 휘저었다. 해송은 루비가 자신의 쟁반 위에 놓인 반찬들을 모두 건드려보고 나서야 꾸벅 인사를 하고 물러났다. 이건 하나의 의식 같은 일이었다. 집에서는 믿을 만한 사람들이 음식을 하니 특별히 걱정할 것이 없었지만 해송이 예외가 없도록 부탁한 일이었기 때문에 루비는 군말 없이 은수저를 들었다. 해송은 응접실 문을 닫기 전에 돌아서서 말했다.

"밖에 있을 테니 필요한 게 있으면 말씀해 주세요."
"여긴 애란이가 봐줄 거니까 너는 다른 일 봐."

루비는 다소 차가운 말투로 대답했다. '네.' 해송은 여느 때와 같은 말투로 대답하고 문을 닫았다. 루비는 육전을 허겁지겁 집어먹는 연웅을 쳐다보다가 해송이 나간 문으로 시선을 옮겼다. 다른 사람 앞에 해송을 내보이는 것은 현명하지 못한 짓이었다. 루비는 내리깔린 눈으로 연웅을 지그시 누르며 물을 마셨다.

해송은 마당 구석에 있는 작은 연못 앞에 쪼그려 앉았다. 입맛이 없어 저녁을 먹을 기분은 아니었지만 일부러 기운을 내서 평소만큼 잘 챙겨 먹었다. 윤씨 아주머니는 많이 먹으라며 삼치 살을 발라 밥 위에 얹어주기도 했다. 해송이 친언니처럼 따르던 미진이 루영의 분가한 집으로 떠난 이후로, 윤씨 아주머니는 해송을 더 살뜰히 챙겼다. 다정하고 따뜻한 사람이었다. 해송은 미진의 손을 잡고 처음 이 집에 들어섰던 때를 떠올렸다. 미진은 해송에게 언니이고 엄마이고 가족이었다. 해송은 오늘따라 미진이 더 보고 싶었다.

미진은 부모가 없는 아이들을 키워 일손이 필요한 곳에 보내는 집에서 자랐다. 미진이 10살이 된 어느 겨울날, 집 앞에 태어난 지 반년이 겨우 될 법한 아기가 포대기에 겹겹이 싸여 울고 있었다. 그 아이의 목에는 명주실 끈에 나무 조각이 매달린 목걸이가 걸려있었고, 그 나무 조각에는 해송(海松)이라고 적혀있었다. 집안의 어른이 아이를 안아 들었을 때, 아이의 체온이 아직 따뜻해서 주변을 한참 둘러보았다고 했다. 해송이 말귀를 제대로 알아듣게 되고 나서 미진은 몇 번이나 이야기했다. 예쁜 이름을 지어 목에 걸어놓고, 춥지 않도록 두꺼운 천을 몇 겹이나 둘러놓고, 무엇보다 반 년동안 어떻게든 너와 함께 하려고 한 걸 보면 분명 너의 부모님은 너를 몹시 은애하고 아꼈을 것이라고. 해송은 그 말에 크게 공감하지는 못했지만 그런 작은 부분까지도 살펴주는 미진에게 늘 고마웠다. 그렇게 미진을 어미새처럼 따르며 자란 해송은 여섯 살이 되던 해에 미진과 함께 이 집으로 들어오게 되었다.

미진은 이 집에서 함께 일하던 남자와 결혼을 했다. 루영의 시중을 들던 사람이었다. 루영 도련님이 분가하던 때, 미진은 해송에게도 함께 가자 했다. '아냐, 언니. 이제 나 돌보는 거 그만하고 가서 형부랑 잘 지내. 나도 이제 어른이니까 잘 지낼 수 있어.' 말은 그렇게 했지만 이 집에 남은 이유는 루비 때문이었다. 어떤 논리적인 근거가 있는 것이 아니라 루비가 있다는 이유 하나만으로 해송은 당연히 떠날 수 없었다. 여름에 다시 만났던 미진은 한결 편안한 얼굴로 말했다. '해송아, 오고 싶으면 언제든 주저하지 말고 와. 허락은 내가 다 받아 놨으니까.' 뒷배가 생긴 것처럼 든든한 마음이었다. 그렇지만, 해송은 아직 용기가 없었다. 아직은 좀 더 루비의 곁에 있고 싶었다.

달빛이 어른거리는 수면을 바라보며 한참을 그렇게 생각에 빠져있었다. 선선한 가을바람에 으슬으슬 몸이 떨려올 때쯤, 소란스러운 소리와 함께 밖으로 나오는 연웅과 루비가 보였다. 연웅은 여전히 떠들고 있었고 루비는 그저 미소 띤 얼굴로 옆에 서 있을 뿐이었다. 해송은 상을 치우러 가려고 마당을 가로질렀다. 연웅에게 고개 숙여 인사하고 루비 옆을 지나 응접실로 향했다. 루비는 여전히 눈길 한 번 주지 않았다.

해송이 그릇을 모두 부엌으로 옮기고 식탁을 닦고 있을 때 루비가 응접실로 돌아왔다.

"해송아, 밥 먹었어?"
"네. 먹었어요."
"이거 하지 마. 내가 할게."

루비가 해송이 들고 있는 행주로 손을 뻗었다. 두 사람의 손 끝이 스쳤을 때, 해송이 재빨리 손을 빼고 냉큼 식탁을 문질렀다.

"제 일이에요."
"그래도… 피곤하잖아."
"저는 쉬어서 괜찮아요. 애란이가 피곤하죠."

딱딱한 해송의 말에도 루비는 굴하지 않고 주변을 기웃거렸다. 이제 더 이상 식탁에 닦을 구석이 남지 않았을 때, 해송이 행주를 개키며 말을 꺼냈다. 주저하는 태도와 달리 말투가 새침했다.

"도련님, 죄송한데 주제넘은 소리 하나 해도 될까요? 싫으시면 안 할게요."
"넌 언제나 무슨 얘기든 해도 돼."

루비가 상냥하게 말했다. 식탁을 한 손으로 짚고 몸을 기울여 해송을 들여다보는 루비의 눈이 퍽 다정했다.

"친절하고 호의를 보이는 사람이라고 다 착한 거 아니에요. 그렇게 막 믿으시면 안 돼요."

해송의 매정한 말에 루비의 순진무구한 눈망울이 슬프게 물들었다.

"…지금 해송이 네 얘기하는 거야? 너 나쁜 사람이라고?"
"네?"
"너도 그래…?"

해송은 찰랑이는 루비의 눈동자를 바라보다가 의기소침하게 말했다.

"저는 아니긴 한데… 그렇게 다 믿으시다가 큰일 당하실까 봐 걱정돼서 그래요."
"너 아니면 됐어. 난 너만 믿으니까."

언제 슬퍼했냐는 듯 금세 해맑게 대답하는 루비를 보면서 해송은 답답함이 가득 담긴 목소리로 타박하듯 말했다.

"이거 봐요. 지금도 이렇게 쉽게 믿으시면 안 되죠. 나쁜
 사람이 누가 자기 나쁘다고 해요. 제가 거짓말하는 거면
 어떡하려고."
"넌 거짓말 안 하잖아…"
"그건 모르는 거죠."
"근데 상관없어. 난 너 나쁜 사람이라도 믿고 잘해줄
 거니까. 네가 나 이용한다고 해도 괜찮아."

천진난만한 얼굴로 말하는 루비를 보면서 해송은 입을
다물었다. 루비와 눈을 맞추고 있으니 왠지 눈물이 날
것 같았지만 시선을 돌리는 게 쉽지 않았다. 넘치는 애
정과 믿음을 자신에게 쏟아붓는 이 도련님을 어쩌면
좋을까? 우애에서 비롯된 저 다정함이 나에게 어떤 마
음을 품게 만드는지도 모르고 이렇게 책임질 수 없는
연정을 싹 틔우게 하는 도련님을 어떻게 말릴 수 있을
까? 해송은 막막한 와중에도 착실하게 두근거리는 심
장을 숨기려 입술을 깨물었다.

* * *

루비는 서재 창가에 서서 마당을 내려다보았다. 정확히는 마당의 잡초를 정리하고 있는 해송을 보고 있었다. 얼마 전, 자신의 마음의 슬쩍 비췄을 때 흔들리던 해송의 눈빛을 기억했다. 해송이는 나와 다른 마음인 걸까. 루비는 쓸쓸함을 삼켜내며 입가를 문질렀다. 똑똑. 노크 소리 후 문이 열렸다. 루비의 어머니였다. 루비는 얼른 창을 등지고 책꽂이 쪽으로 걸음을 옮겼다.

"아들, 네가 주말에 루영이네 좀 다녀와야겠어. 솜이불이랑 옷 좀 사났으니까 전해주고 축하도 해줘."
"네. 그런데 어머니는 안 가세요?"
"응, 이번에는. 그러니까 네가 가서 상황 좀 보고 와. 애기가 전화로는 괜찮다고 하는데 그래도 임신한 사람 있는 집에 시부모가 불쑥 찾아가는 것도 부담일 것 같아서."

루비의 어머니는 고민스러운 얼굴로 말했다. 호탕한 성격의 형수님은 아마 정말로 괜찮기 때문에 괜찮다고 말했을 것이었다. 하지만 마음이 여리고 겁이 많은 루비의 어머니는 늘 혹시나 자신이 눈치 없는 시어머니가 되는 것은 아닌가 하고 걱정을 했다.

"알겠어요. 제가 보고 올게요."
"응. 아, 그리고 해송이도 데리고 다녀와. 미진이 보고 싶을 텐데."

루비의 어머니는 큰 눈을 둥글게 휘며 웃었다. 루비는 자신과 꼭 닮은 그 얼굴을 바라보며 고개를 끄덕였다. 금세 마음이 벅찼다. 가족의 집을 방문하는 가벼운 일도 해송과 함께라면 특별한 일이 되었다. 어머니가 방을 나간 후 루비는 다시 몸을 돌려 창 밖을 내다봤다. 해송은 보이지 않았다. 루비는 창문을 닫았다.

***

해송은 저녁식사 후 뒷정리 중이었다. 설거지를 하는 애란에게 그릇들을 건네주는데 부엌 위쪽에서 두드리는 듯한 소리가 들렸다. 경쾌한 것 치고는 꽤 묵직한 소리였다. 해송은 고개를 들어 천장을 쳐다봤다. 발소리와 비슷한 소음은 계속 이어졌다. 누룽지를 긁어 소쿠리에 옮기던 윤씨 아주머니가 해송에게 말했다. 해송아, 무슨 소린지 올라가서 좀 보고 올래? 해송은 곧바로 알겠다고 대답했지만 습관적으로 튀어나온 대답과 달리 발걸음은 마냥 쭈뼛거렸다.

해송은 특별히 무서운 것이 없었지만, 딱 하나, 깜깜한 어둠에는 약했다. 부엌 위쪽이면 창고로 쓰는 다락인데. 해송은 계단을 오르며 자신의 손 끝을 만지작거렸다. 다락은 전깃불이 연결되지 않아서 따로 등불을 들고 들어가야 하는 곳이었다. 해송은 자신이 지내는 방에서 등불을 꺼내왔다. 다락문 앞에 섰지만 차마 발길이 쉽게 떨어지지 않아서 문틈만 노려보고 있는데 갑자기 뒤에서 인기척이 느껴졌다.

"뭐 해?"
"히익!"

해송이 제자리에서 껑충 뛰듯이 어깨를 움츠렸다. 너무 크게 놀라는 바람에 손에 든 등불이 덜그럭거리며 흔들렸다. 해송의 귀 옆으로 고개를 내밀었던 루비는 얼른 손을 뻗어 등불을 밑동을 잡아주었다. 다른 손은 해송의 어깨에 살며시 올라가 있었다.

"아이구, 놀랐어? 미안."
"아… 아니에요."

해송은 숨을 가다듬고 침착한 목소리로 말했지만 이미 질겁한 눈은 잘게 떨리고 있었다.

"근데 왜 여기 서 있어?"
"부엌에서 들으니까 무슨 발소리 같은 게 들려서요. 확인
  좀 해보려구…"
"해송이 너…"

루비는 말을 하다 말고 입을 닫았다. 해송이 어두운 걸
무서워한다는 걸 알았지만 굳이 내색할 필요는 없었다.
해송은 자신의 약한 모습을 보여주는 것을 싫어했다.

"내가 보고 나올게. 해송이 너는 여기 있어."

루비가 해송의 손에서 등불을 가져왔다. 루비의 거침없는
손길에 다락문이 순식간에 열렸다. 루비가 어둠 속으로
발을 옮기는데 작은 손길이 느껴졌다. 뒤를 돌아보니
해송이 루비의 옆구리 쪽 옷자락을 붙들고 있었다. 등
불에서 퍼져 나오는 따뜻한 빛이 해송의 눈망울에 맺혀
어른거렸다.

"해송아, 왜?"
"도련님 혼자 가면… 위험해요."

집 안에서 위험할 게 뭐가 있다고. 루비는 그런 해송이
귀여워 웃음이 새어 나왔다.

"그럼 해송이가 내 뒤 지켜줘. 이렇게 잡고."

루비는 해송의 팔을 끌어다 자기의 허리 양쪽에 놓았다. 해송은 손가락을 꼬물꼬물 움직여 루비의 셔츠를 그러쥐었다. 안쪽으로 걸음을 옮기니 아까부터 들리던 발소리가 더 크게 들렸다. 루비는 소리가 크게 들리는 쪽으로 가까이 다가가 등불을 내밀었다. 그때 바닥에 있던 뭔가가 선반으로 발칵 뛰어올랐다.

"엄마야!"

갑작스러운 움직임에 놀란 해송이 몸을 웅크리면서 루비의 등에 바짝 붙었다. 해송이 화들짝 놀라는 걸 느낀 루비가 뒤로 팔을 뻗어 해송의 등을 받쳤다. 두근거리는 해송의 심장박동이 루비의 손바닥을 타고 그대로 느껴졌다. 루비는 등불을 들어 선반을 비췄다.

"고양이다."
"아휴, 서리태였구나! 너 왜 여기 있어!"

해송은 루비의 셔츠를 잡고 있던 손을 놓고 가슴을 쓸어내렸다. 해송이 고양이에게 다가가려고 루비의 뒤에서 벗어났다. 루비는 그게 못내 아쉬워 천천히 해송에게서 손을 뗐다.

"애 이름이 서리태야?"

"네. 털이 까매서요. 꼭 서리태 같아서."

"해송이 네가 지은 거야?"

"네…"

해송은 왠지 쑥스러워하며 고양이에게 손을 뻗었다. 고양이는 익숙하게 해송의 손에 머리를 몇 번 비비고는 훌쩍 뛰어내려와 빛이 새어 들어오는 문으로 총총 걸어 나갔다.

"그럼 이름은 리태인 거네? 둘 다 서씨니까."

루비가 활짝 웃으며 말했다. 루비가 반듯한 이를 훤히 보이면서 웃으면 꼭 주변이 밝아지는 것만 같았다. 어쩜 도련님은 저렇게 해맑고 환하게 웃으실까? 어떻게 저렇게 마냥 밝고 깨끗한 분이실까? 해송은 잘 불리지도 않는 자신의 성씨를 금방 떠올리는 도련님의 섬세함이 참 너무하다고 생각했다.

두 사람은 고양이가 넘어뜨린 물건들을 제자리에 놓고 다락에서 나왔다. 루비가 다시 부엌으로 향하는 해송을 불러 세웠다.

"해송아, 자기 전에 따뜻한 차 좀 가져다 줄래? 요즘

잠이 잘 안 와서."

"네. 그럴게요."

해송이 작게 인사하고 종종걸음으로 계단을 내려갔다. 치, 미련 없이 떠나버리는 게 둘이 똑같네. 루비는 좀 전에 보았던 서리태의 사뿐한 걸음과 닮은 해송의 뒷모습을 한참 바라보았다.

***

똑똑. 네. 해송이예요. 어서 와. 해송은 언제나와 같은 순서로 대화하고 루비의 방 안으로 들어왔다. 루비는 해송이 알아서 문을 열고 들어올 것을 알면서도 그 짧은 거리를 마중하듯이 자리에서 일어났다. 책을 읽던 중이었는지 침대 위에 책 한 권이 엎어져 있었다. 해송은 자기로 된 주전자와 찻잔을 작은 쟁반에 받쳐 들고 조심스럽게 걸었다.

"이쪽으로 줘."

루비는 해송이 들고 있던 쟁반을 가볍게 받아 들고 자신의 책상 위에 올려놓았다. 차를 따라주고 나가려다 갑자기 빈손이 된 해송이 잠깐 주춤거렸다. 하지만 다음 행동을 망설일 틈도 없이 루비가 쪼그려 앉으며 해송의 손목을 잡고 아래로 끌어당겼다.

"해송아, 이거 봐봐. 보여줄 거 있어."

해송을 바닥에 앉힌 루비는 책장 아래쪽에서 다른 것들보다 크기가 큰 책 한 권을 꺼냈다. 표지에는 모자를 쓰고 세련된 차림을 한 여성이 그려져 있었다. 루비는 책을 바닥에 놓은 채 활짝 펼쳤다.

"저번에 네가 외국 사람들은 어떻게 사는지, 우리랑 사는 게 똑같은지 궁금하다고 했잖아. 이게 외국의 잡지인데, 무슨 말인지는 몰라도 그림들 보면 알 수 있지 않을까 해서."

해송의 눈이 휘둥그레 커졌다. 해송은 자기도 모르게 입술까지 살짝 벌린 채 책장을 넘겼다. 넘어가는 책장 사이로 중간중간 보이는 알록달록한 삽화들이 찬란했다.

"이런 건 어떻게 구하셨어요?"
"그냥. 책방에 갔다가."

"책방에서 외국 잡지도 파는군요. 신기해요."

해송이 루비를 보고 살포시 웃었다. 호기심이 많은 해
송에게 꽤 즐거운 볼거리가 된 모양이었다. 이 웃음을
보려고 내가 그렇게 애를 썼지. 루비는 책장을 넘기는
해송의 손가락을 바라보며 생각했다. 당연히 그냥 책방
에서 구할 수 있는 책은 아니었다. 책방 아저씨를 통해
물어물어 배를 탄다는 누군가의 사촌까지 찾아가 부탁
을 한 뒤에야 겨우 얻은 것이었다.

루비는 신이 난 와중에도 침착하게 움직이는 해송의
손에 시선을 묶었다. 가을이 깊어가면서 말라가는 공기
에 해송의 손등이 거칠어져 있었다. 루비는 자리에서
일어나 옷장 옆에 있는 서랍에서 작은 단지를 꺼냈다.
어머니가 매일 아침 세안 후 얼굴에 챙겨 바르라며 당
부하신 물건이었다. 막상 자신은 번거로워서 거의 바른
적이 없지만 물 마를 날 없는 해송의 손에는 요긴하게
쓰일 것이었다. 루비는 다시 해송 옆에 앉아서 조용히
해송의 손을 가져와 손등에 크림을 덜었다.

"어, 도련님…"
"어머니가 바르라고 주신 건데 뭔가 미끌미끌한 게 도저히
적응이 안 돼서 말이야."

루비는 두 손으로 해송의 손을 잡고 크림이 잘 흡수되

도록 주무르듯이 문질렀다. 자신의 두 손으로 잡기에는 해송의 손이 너무 작아서 아차 하면 쑥 빠져나갈 것만 같았다. 이 작은 손으로 매일 그렇게 일을 하고 나를 챙겨주는구나. 루비는 좀 더 주의를 기울여서 엄지로 해송의 손등을 펼치듯이 쓰다듬었다.

"마님이 주신 걸 저한테… 제가 쓰면 어떡해요."
"이게 향이 좋거든. 나는 이 향을 맡으면 잠이 잘 오는 것 같아."
"……"
"그러니까 이건 네가 그냥 쓰는 게 아니라, 해송이가 날 위해서 써주는 거지."

루비는 해송의 반대 손에도 똑같이 크림을 발랐다. 루비가 해송의 손을 공들여 어루만지는 동안 해송은 다른 손을 무릎 위에 놓은 채 조용히 눈만 깜박이고 있었다. 루비는 숨마저도 조심스럽게 내뱉는 해송의 그 긴장된 호흡이 너무나도 애틋하고 사랑스러웠다. 해송의 두 손이 제 나이에 맞게 말랑해지고 나자 루비가 불현듯 빙글빙글 웃었다.

"해송아."
"네?"
"무릎 베고 누워도 돼?"

"안 돼요."

해송은 루비의 눈을 피해 바닥을 내려다보면서 대답했다. 루비의 체온이 전해진 자신의 손이 부드럽고 따뜻했다.

"왜? 어렸을 땐 자주 해줬잖아."
"이젠 어른이시잖아요."

어린 시절, 일찍 키가 자란 해송과 달리 몸이 약하고 왜소했던 루비는 체력이 모자라면 밤낮 가리지 않고 시도 때도 없이 고개를 꾸벅이며 졸았다. 그럴 때면 이불을 펼 시간도 없이 고꾸라지는 루비를 위해 해송이 무릎을 빌려주곤 했다. 해송의 키가 자라는 것을 멈추고 루비가 더 이상 낮에 잠들지 않게 되고부터는 그럴 일도 없었다. 몇 년 만에 뜬금없는 부탁을 한 루비는 오히려 본인이 서러운 얼굴을 하고 작게 말했다.

"나 머리 안 무거워…"
"그런 게 아니라… 누가 보기라도 하면 어떡해요."
"내 방인데 누가 봐? 내가 들어오라고 해야 들어올 수 있는데."
"그래도 안 돼요."

해송은 단호한 말투로 답했다. 시무룩한 표정으로 해송의 반응을 살피던 루비는 다시 입을 열었다. 언제나처럼 무른 얼굴 위에 눈빛만은 더욱 예리해져 있었다.

"싫은 거야, 아니면 안 되는 거야?"
"…안 돼요."

해송의 내리깔린 속눈썹을 보던 루비는 더 이상 묻지 않고 해송의 무릎 위로 머리를 기댔다. 해송은 무릎 위에 놓였던 자신의 손을 치웠다. 루비가 아래에서 올려다보니, 그제야 바닥만 바라보던 해송의 눈이 보였다. 단호하고 강단 있는 만큼 거짓을 담을 수 없는 그 눈은 루비 안의 많은 것을 안도하게 했다. 루비는 눈을 감고 느긋한 목소리로 말했다.

"만약에, 정말 만약에 누군가 이걸 본다면, 내 귀에 벌레가 들어가서 네가 살펴봐주고 있었다고 하자. 그럼 괜찮지?"

엉뚱한 루비의 대책에 해송이 작게 소리 내서 웃었다. 루비의 잠든 얼굴을 보는 건 너무 오랜만이었다. 물론 진짜 잠든 건 아니었지만 눈을 감고 있는 모습이 자는 것과 같았으니까. 어렸을 때 보았던 유약한 소년의 얼굴은 어느새 단단하고도 부드러운 청년의 얼굴이 되어 있었다.

"해송아."

"네."

"주말에 형 네 집에 가야 하거든. 너도 같이 다녀오자."

"……"

"어머니께서 너도 데리고 다녀오라고 하셨어."

"네. 알겠어요."

언제부턴가 해송은 루비가 하는 제안에 곧바로 대답할 수가 없었다. 그의 제안이 남들 보기에 이상한 것은 아닌지, 본인이 눈에 띄게 특별한 대우를 받는 것은 아닌지 한참을 고민하고 나서야 대답할 수 있었다. 루비는 그 사실을 아는 것처럼 해송을 안심시켰다. 해송은 자신이 뭘 두려워하는지 모호하다고 생각했다. 편안하게 펼쳐진 루비의 머리카락 위로 자신의 손가락을 움직여 보던 해송은 뒤쪽으로 손을 감췄다. 오랫동안 간직하게 될 장면이었다.

***

해송은 새벽부터 준비한 음식들을 차곡차곡 찬합에 담았다. 해송이 찬합을 보자기에 묶어 내놓으면 태수가 자동차에 옮겨 실었다.

"누이, 더 실을 것 있어요?"
"아니. 이게 마지막이야. 솜이불도 실었어?"
"네. 근데 이불이 커서 뒷좌석에 실었어요. 보따리도 하나는 누이가 안고 앞에 타야 될 것 같아요."
"그래. 알았다."

해송은 서둘러 겉옷을 걸쳐 입고 부엌을 나섰다. 한 구석에 따로 싸놓았던 보따리를 챙기는 것도 잊지 않았다. 미진에게 주기 위해 장에서 이것저것 사 온 것이었다. 짐이 많아 차에 타는 것만으로도 번거로웠다. 태수의 도움을 받아 겨우 앞자리에 웅크려 앉은 해송은 설렘으로 볼이 소복하게 솟았다. 차 밖에 서 있던 태수는 루비가 내려오자 차 문을 열어 주었다.

"해송이, 안녕."
"네. 도련님. 잘 주무셨어요?"
"으응."

루비의 시원찮은 대답에 해송이 몸을 뒤척여 뒤를 돌아봤다. 평소보다 깔끔한 모습으로 단장한 도련님은 넥

타이를 손에 든 채로 둥근 눈을 굴려 해송을 빤히 쳐
다보고 있었다.

"넥타이는 왜 안 매셨어요?"
"아침에 네가 날 보러 오지 않았잖아."

운전석으로 돌아온 태수가 차 문을 열려고 하자 루비
가 손을 들어 행동을 멈추게 했다. 태수는 어리둥절한
얼굴로 문 옆에 멀뚱히 서 있었다.

"넥타이 매실 줄 아시잖아요."
"아니, 모른다."

해송은 투정하는 루비가 어리광을 부리는 것 같다고
생각했다. 애처럼 떼를 쓰는 도련님이 철없게 느껴져야
할 텐데 마냥 귀엽기만 해서 큰일이었다. 해송은 자신
의 그런 애정 어린 눈빛을 숨기려 품에 안고 있는 보
자기 매듭을 내려다보며 말했다.

"루영 도련님 댁에 가져갈 것 챙기다 보니 바빴어요.
 죄송해요."
"애란이나 다른 사람들은 뭐 하고?"
"이제 아침상 치워야죠. 오늘 저 없는 동안 하루종일
 일하느라 바쁠 텐데 이건 제가 하고 싶었어요."

"…그래도 너만 고생하지 마."

루비는 창문을 두드리고 태수에게 들어오라며 손을 흔들었다. 여전히 영문을 모르는 태수는 따로 묻지도 못하고 얌전히 차에 타 시동을 걸었다.

루영의 집 앞에 도착하고 대문을 두드리기 전에 해송이 루비의 넥타이를 매 주었다. 자신을 올려다보며 집중한 해송의 얼굴을 보는 것은 항상 즐거웠다. 넥타이 매듭을 단정히 정리하고 셔츠와 조끼를 손바닥으로 살살 두드려 펼치는 해송의 손길이 차분했다. 하지만 루비는 그 손길이 어떤 것보다도 자신을 뒤흔들 수 있다는 것을 알았다.

루영의 아내는 활기찬 사람이었다. 모두를 진심으로 반겨주고 루비의 부모님이 방문하지 않은 것에 대해 진심으로 아쉬워했다. '그런 걱정 마시고 꼭 저희 보러 오시라고 전해주세요.' 루비에게 부탁하는 말씨가 시원시원했다. 학교에서 아이들을 가르치는 선생님인 그는 대학교수의 딸이었다. 건축가의 아들인 루영과 잘 어울리는 사람이었다.

루비가 형 부부와 식사를 하고 차를 마시는 동안 해송과 태수도 미진네 부부와 시간을 보냈다. 태수가 미진의 남편과 함께 자동차를 살펴보는 동안 해송과 미진은 마루 한쪽에 앉아 이야기를 나눴다.

"다들 잘 지내고 있는 것 같아서 좋다."
"응. 마님… 그러니까 작은 마님이 정말 잘해주셔."
"그래 보여. 좋은 분 같아."
"맞아. 정말 좋은 분이야. 친절하시고, 똑똑하시고. 우리
　집 어르신이랑 천생연분이라니까."

미진이 손을 뻗어 해송의 손을 꼭 잡았다. 마냥 어리고
동생 같던 해송도 어느새 어른이 되었다. 루아 아가씨
는 작년, 지금의 해송과 같은 나이에 결혼을 했다. 미진
은 걱정 어린 눈으로 해송의 눈을 들여다보며 말했다.

"사람은 저마다 짝이 있는 것 같아. 우리 집 어르신과
　마님처럼, 나랑 우리 서방처럼 꼭 맞는 짝이."

미진이 더 이상 말을 붙이지 않아도, 해송은 미진이 하
고 싶은 말이 무엇인지 알 수 있었다. 해송은 입꼬리를
끌어올려 애써 웃어 보였다. 저마다 맞는 사람이 있다
는 것은 저도 모르는 바가 아니었다. 미진과 해송이 말
없이 서로의 마음을 읽고 있을 때 뒷마당 쪽에서 나온
누군가가 두 사람에게 다가왔다.

"해송아."

"덕준아, 잘 지냈어?"

루비의 집에서 같이 일하다 루영의 분가 때 미진과 함께 따라 나온 덕준이었다. 그때 덕준은 해송에게 함께 갈 것을 제안했었다. 당연히 해송은 거절할 수밖에 없었지만. 덕준이 자신의 손 끝을 만지작거리며 고개를 끄덕였다. 해송은 애틋한 그의 눈빛을 모른 척하며 평소처럼 웃었다.

"못 본 새 더 고와졌네."
"너도 참."

해송은 멋쩍은 얼굴을 숨기지 못하고 미진을 돌아봤다. 미진은 흐뭇하게 웃으며 그저 둘을 바라보고만 있었다.

"안 그래도 편지하려고 했는데. 다음 달에 큰 어르신 댁에 갈 일이 있는데 그날 시간 되면 같이 장 구경 가지 않을래? 그때쯤이면 강변에 단풍도 예쁘게 들었을 거야."
"어…"

해송은 선뜻 대답할 수 없었다. 친구와 장 구경을 가는 것이 문제 될 것은 없었지만 뭔가 마음에 걸리는 것이 있었다. 너무 주제넘은 걱정인가? 루비에 대한 우려가 앞선 해송은 그런 자신이 우스워서 복잡한 속을 꾹꾹 눌러 접었다.

"나랑 둘이 가는 게 좀 그러면 애란이나 태수랑 같이
가도 좋구."
"그…"
"덕준아."

낮은 목소리가 두 사람의 대화에 불쑥 끼어들었다. 어
느새 해송의 뒤쪽에 선 루비의 얼굴이 차가웠다.

"아, 도련님."

덕준은 루비에게 고개 숙여 인사했다. 루비는 마주 눈
인사를 하며 웃어 보였지만 그 미소에는 어떤 호의도
담겨있지 않았다.

"해송이한테 볼 일 있어?"
"네?"
"내가 이제 너의 주인은 아니지만… 아직 해송이의 주인
이긴 하거든."
"……"
"해송이한테 할 말 있으면, 그건 나도 알아야 한다는
거 알고 있으라고."

분위기가 냉랭히 얼어붙었다. 루비는 억지를 부리고 있었다. 사회적으로 루비가 해송의 주인이라고 할 수도 있겠지만, 엄밀히 말하자면 사람을 누군가의 소유물이라고 하기는 어려웠다. 해송은 자신이 원한다면 언제든지 일을 그만두고 떠날 수 있었다. 물론 엄청난 경제적 어려움을 겪게 되겠지만, 그렇다 해도 다른 사람이 해송의 거취나 행동을 마음대로 결정할 수는 없었다. 해송은 속으로 루비의 말을 되뇌었다. 해송이의 주인. 도련님은 나를 자기가 아끼는 소유물쯤으로 생각하는구나. 철없는 부잣집 도련님이 가질만한 생각인 걸 이해하면서도 해송은 그런 흔한 말에 상처받았다.

"해송아, 태수한테 갈 채비 하라고 해."
"…네."

해송이 태수에게 말을 전하기 위해 자리를 떴다. 덕준은 쓸쓸한 얼굴을 하고 도로 뒷마당으로 돌아갔고, 미진은 말없이 루비를 올려다보았다. 그 눈에는 명백한 원망이 담겨 있었지만 루비는 문을 나선 해송의 뒷모습만 바라보느라 미진을 돌아보지 못했다.

집으로 돌아가는 길에는 짐을 앞쪽에 실었다. 눈치가 빠른 태수는 도련님의 심기를 건드리지 않도록 재빠르게 움직였다. 출발한 지 얼마 지나지 않아 추적추적

비가 내렸다. 루비는 말없이 앞만 바라보고 있었다. 차
창을 따라 빗물이 흘러내렸다. 해송은 루비의 옆자리에
앉아서 깊게 가라앉은 자신의 마음을 다시 끌어올리
느라 바빴다. 비록 오늘 외면하고 싶던 몇 가지 사실
들을 직면했을지라도, 분명 좋은 일들이 있었다. 미진
과 오랜만에 만나 이야기를 나눴고, 어쨌거나 오랜 친
우인 덕준도 만났다. 맛있는 식사를 하고 귀여운 조카
와 놀아주기도 했으며 예쁜 집을 구경하기도 했다. 해
송은 이 정도면 행복한 것이라고 자신에게 반복해서
말했다. 불쑥불쑥 튀어나오는 의문과 열망은 모른 척
덮어두었다.

루비는 여러모로 심사가 뒤틀렸다. 오늘 새벽, 밝이 밝
아지기도 전부터 해송이 분주하게 움직였다. 침착한 해
송의 얌전한 움직임은 전혀 소란스럽지 않았지만 온
신경이 해송에게 쏠려있는 루비는 그게 아무리 작은
행동이라도 놓치지 않았다. 벽 하나를 사이에 두고 붙
은 해송의 방에서 인기척이 가시면 루비는 왠지 모르
게 몹시 고독했다. 옷을 갈아입고 창 밖을 내다봤을
때, 태수가 마당을 가로질러 부엌을 드나들고 있었다.
해송과 태수가 서로 이야기하며 물건을 챙기는 모습은
꽤 다정해 보였다. 해송의 짐을 태수가 들어주기도 하
고 뒤돌아 있는 태수를 부를 때 해송이 태수의 팔을
살며시 잡기도 했다. 해송이 차에 타는 것을 돕는 태수

를 보면서, 결국 루비는 신경질적으로 넥타이를 풀어냈었다. 짐을 안겨주는 것은 물론이고, 차 문에 끼지 않도록 해송의 치맛단을 정리해 주는 모습까지 죄다 맘에 들지 않는 행동이었다. 그런데 그렇게 한 집에 사는 태수로도 모자라서 덕준까지 거슬리다니. 아주 온 사방이 해송을 노리는 놈들 뿐이었다. 루비는 초조해지는 자신의 마음을 움켜쥐었다. 멋대로 뻗어나가는 마음만으로 버틸 수는 없었다. 변화가 필요했다.

집에 거의 도착할 무렵, 갑자기 차가 크게 덜컹거리며 멈췄다. 당황한 얼굴로 이것저것 시도해 보던 태수는 무슨 일인지 살펴보겠다며 차에서 내렸다. 해송은 루비의 손에 잡힌 자신의 손을 내려다보았다가 루비의 얼굴로 시선을 옮겼다. 차가 흔들리는 순간 자신에게 팔을 뻗어 넘어지지 않도록 막아준 루비는 아까의 딱딱한 얼굴은 온데간데없이 다시 무른 얼굴로 돌아와 있었다. 루비는 놀란 눈을 몇 번 깜박이고는 머쓱한 듯 말했다.

"…나도 내려서 무슨 일인지 좀 볼게."

루비가 차에서 내리고, 해송은 두 손으로 자신의 가슴을 눌렀다. 아마도 이 울림은 밖에서 들리는 빗소리 때문에 더 크게 들리는 거겠지. 해송은 그렇게 자신에게 설명했다.

루비가 차에서 내리자 차 뒤 쪽을 살펴보고 있던 태수가 소리쳤다.

"도련님, 비 맞으시잖아요. 차에 계세요!"
"아니야, 신경 쓰지 마. 심각한 건가?"

태수가 루비에게 달려와 자기가 들고 있던 우산을 씌웠다. 태수는 진흙 범벅이 된 뒷바퀴를 가리키며 말했다.

"바퀴가 구덩이에 빠졌어요. 비가 와서 미끄러우니까 계속 헛도네요. 여기에 자갈 같은 걸 좀 깔고 밀어서 빼내면 되는데, 사람이 더 필요해요."
"그래? 그럼 집에 가서 사람들을 데려와야겠군."
"네. 차 안에 계시는 동안 제가 다녀와도 되기는 하는데… 비도 오고 이제 곧 어두워질 거라 밖에 계시는 게 아무래도 위험할 것 같아서요. 도련님께서 집으로 가세요. 사람들을 보내주시면 그동안 저는 자갈을 좀 구해다 깔고 있을게요."

태수는 도련님이 늦은 시간에 밖에 다니는 것을 용납하지 않는 제 어르신의 노여운 얼굴을 떠올렸다. 아직 저녁시간까지는 여유가 있었지만 비가 오는 바람에 급격히 하늘이 어두워지고 있는 데다 산의 초입에 위치한 집까지 이어진 길은 산길이나 다름없었기 때문에 도련님을 빨리 집으로 돌려보낼 필요가 있었다.

"응. 그럼 저… 해송이도 데려갈게."
"앗, 네! 그럼요."

태수는 루비에게 우산을 건넸다. 루비는 잠시 망설이다가 우산을 받아 들고 해송이 앉은 쪽 문 앞에 서서 태수에게 말했다.

"너도 차 안에 있다가 사람들 오면 그때 움직여. 비 맞지 말고."

루비가 문을 열고 해송을 불렀다. 해송아, 여기서부턴 걸어가야 해. 해송이 내릴 때까지 차 쪽으로 바짝 붙은 우산 때문에 루비는 이미 반쯤은 다 젖은 모양이었다.

해송과 루비가 나란히 걸은 지 얼마 지나지 않아 꺾이는 길이 나왔다. 모퉁이를 돌자 바람이 정면에서 불어왔다. 세찬 비는 아니었지만 빗방울이 바람에 실려 우산 아래로 날아들었다. 루비는 해송에게 우산을 쥐어주고 자신의 겉옷을 벗어 해송에게 둘렀다.

"도련님, 안 돼요! 얼른 옷 입으세요."
"비가 다 들이치잖아. 벌써 네 치마는 좀 젖었다."

"그러니까요. 도련님 옷이 젖잖아요."

"그건 상관없어."

"이러다 고뿔 걸리세요. 어서요."

해송은 옷깃이 여며지도록 붙잡고 있는 루비의 손을
밀어내려 파닥거렸다. 루비는 그런 해송을 지그시 바라
보다가 말했다.

"해송아, 이런 거라도 하게 해 줘. 내가 너한테 해줄
 수 있는 게 너무 없잖아."

"……"

"너는 나에게 이미 너무 많은 걸 해줬는데."

루비의 곧은 시선이 해송을 꿰뚫었다. 해송은 가만히
행동을 멈추고 바드락대던 손을 천천히 내렸다. 루비는
자신의 옷에 싸인 해송의 등 뒤로 팔을 둘러 어깨를
감싸 안았다. 루비가 든 우산 아래서 루비의 품에 안겨
걸음을 옮기면서, 해송은 집으로 돌아가는 이 길이 조
금 더 길었으면 좋겠다고 생각했다.

해송의 그런 바람과는 달리, 그리 오래 걷지 않아 집
대문이 보였다. 마른날에도 30분 가까이 걸리는 거리인
데 기분 탓인지 정말 지척처럼 느껴졌다. 대문을 두드
리기 전에 두 사람은 먼저 처마 아래로 비를 피했다.

집에 들어가기 전에 루비가 다시 옷을 갖춰 입어야 했기 때문이다. 불빛이 있는 곳에서 보니 갑자기 추워진 날씨에 루비의 젖은 몸에서 펄펄 김이 솟고 있었다.

루비가 해송에게 받은 옷을 입는 동안, 해송은 처마 끝을 따라 떨어지고 있는 물줄기 아래에 손을 댔다. 루비는 그런 해송의 손 위로 자신의 손을 뻗었다. 한 뼘쯤 떨어진 루비의 손이 지붕처럼 해송 대신 물을 맞았다.

"왜 그래, 해송아. 손 시리게."
"저만 이렇게 마른 걸 보면 사람들이 이상하게 생각할 거예요."
"……"

루비는 코 끝이 찡할 정도로 세차게 밀려오는 씁쓸함에 짧은 한숨을 쉬었다. 사랑하는 이를 고작 빗방울로부터 지키는 일마저도 숨겨야 하는 사이라니. 이건 루비가 바란 것이 아니었다. 루비는 입고 있던 옷을 벗어 다시 해송에게 둘렀다.

"사지 멀쩡한 장정이 숙녀를 비 맞게 하는 것이 더 망신스러운 일이다. 그런 건 신경 쓰지 마. 그걸 이상하게 생각하는 사람들은 내가 없게 할 테니까."

루비는 주저 없이 대문을 두드렸다. 해송은 그런 도련

님을 말리지 않는 자신을 돌아보며 마음속에서 조금씩 자라나는 욕심을 마주했다. 그 방관에는 분명 사심이 가득 섞여있었다.

***

내가 미쳤지. 해송은 자신의 이마를 짚으며 가마솥 뚜껑을 열었다. 아무리 그래도 도련님을 비 맞게 하다니. 자신을 향한 원망과 루비에 대한 걱정이 멈추지 않았다. 가마솥 안에서 뜨겁게 쪄진 배숙 그릇을 꺼내 쟁반으로 옮겼다. 대추에 생강과 꿀까지 잔뜩 넣어 찐 배숙으로도 모자라서 한쪽에는 따로 도라지 차까지 끓였다. 도련님은 열이 많은 체질이 아니니까 괜찮겠지. 쟁반을 들고 걷는 해송의 걸음이 빨라졌다. 저녁 식사 때, 부모님과 이야기를 나누는 도련님은 아무런 문제가 없어 보였지만 해송은 혹여나 자신 때문에 루비가 고뿔에라도 걸릴까 봐 전전긍긍했다.

해송이 루비의 방에 들어갔을 때, 루비는 역시나 침대 옆에 우뚝 서서 해송을 맞이했다. 이불이 젖혀져 있는 걸 봐서는 누워있던 듯했다. 해송은 침대 옆 작은 서랍 위에 쟁반을 올려놓고 루비를 침대에 앉혔다. 이불까지 꼭꼭 덮어주고 나서 말없이 쟁반을 내밀었다. 루비는 자신의 다리 위에 쟁반을 올려놓고 싱글싱글 웃으며 배의 뚜껑을 열었다.

"나 걱정한 거야?"
"오늘 비 많이 맞으셨잖아요."
"뭐 그런 걸 가지고."

루비는 부드러운 배의 속살을 한 숟가락 떴다. 폴폴 김이 나는 배를 후후 불고는 해송의 입술 앞에 가져갔다. 해송은 고개를 살짝 뒤로 뺐다.

"도련님 드시라고 해온 거예요."
"나도 먹을게. 근데 해송이도 비 맞았잖아."
"저는 괜찮아요."
"그럼 나도 괜찮아."

루비의 순진하고 맑은 눈을 바라보던 해송이 가만히 입술을 열었다. 생강향과 꿀을 가득 머금은 배는 따뜻하고 달콤했다. 루비는 내리깔린 해송의 속눈썹과 반짝이는 작은 코 끝, 천천히 움직이는 입술을 따라 느릿하게 시선을 옮겼다. 배숙은 향만 맡았을 뿐인데 벌써부터 명치끝이 뜨끈해졌다. 해송의 재촉에 따라 루비도 배를 떠먹었다. 루비와 해송은 배 한 통을 다 비웠다. 차는 여기에 놓고 갈게요. 해송이 빈 그릇과 쟁반을 챙겨 일어서려고 하자 루비가 급하게 말을 꺼냈다.

"해송아, 오늘 잘못한 거. 미안해."
"네? 뭐가요?"
"일부러 너한테 심한 말 한 거."

해송은 루비가 무슨 말을 하는지는 알았지만 자신이 어떻게 반응해야 하는지는 알 수 없었다. 별다른 대답 없이 입술만 오물거리고 있으니 루비가 계속 말을 이었다.

"엉터리로 말해서 미안해. 너한테 주인 같은 거 없는 것 알아."
"…근데 왜 그렇게 말씀하셨어요?"
"덕준이가 너한테 말 거는 게 싫어서."
"……"
"그래도 그렇게 말하면 안 됐는데 미안. 덕준이가 앞으로도 너한테 말 걸지 못하게 하려고 심술부렸어."
"다음부터는 그냥 저한테 말씀하세요. 얘기하지 말라고 하면 안 할게요."

루비는 이를 흰히 보이며 활짝 웃었다. 시원시원하고 반듯한 입매를 보면서 해송도 작게 웃었다. 해송이 꾸벅 인사하고 방을 나서려고 할 때, 방금의 웃음과는 사뭇 다른 루비의 음성이 해송의 걸음을 붙잡았다.

"해송아, 있잖아."

해송이 뒤를 돌아 루비를 쳐다봤다.

"너한테는 주인이 없지만 나는 주인 있어. 해송이 네가 내 주인이야."

해송은 그대로 루비와 좀 더 시선을 맞추고 있다가 말 없이 방을 나왔다. 역시 철이 없는 도련님이었다. 저런 아무 힘없는, 아무 권한도 없는 말을 잘도 하다니. 해송은 자신이 가질 수 없는 자격을 내미는 루비가 몹시 얄궂으면서도 역시나 너무 사랑스럽다고 생각했다. 괴로울 만큼 지독한 병이었다.

***

점심을 준비하려 두부집에서 따뜻한 손두부를 사들고 돌아오는 길이었다. 해송의 앞쪽으로 세련된 양장차림을 한 아가씨 한 명이 걷고 있었다. 이 길은 우리 어르신 집 아니면 산으로만 이어지는데. 단정한 구두를 신은 여성이 산으로 가는 것 같지는 않아서 해송은 아마도 우리 집 손님이겠거니 했다. 해송보다 열 걸음 먼저 대문 앞에 도착한 여자는 거침없이 해송이 지내는 집의 대문을 두드렸다. 해송은 걸음을 조금 더 빨리 재촉해 여자에게 다가갔다. 인기척에 돌아본 여자의 얼굴이 몹시 아름다워서 해송은 조금 버벅거리며 물었다.

"저… 무슨 일로 오셨나요?"

해송을 바라보던 여자가 큰 눈을 한 번 깜박이더니 냉랭한 얼굴 그대로 대답했다.

"이 집에서 일하는 분이신가요?"
"네."
"김루비 선생을 찾아왔습니다."

해송은 자연스레 열려있던 입술을 합 다물었다. 도련님을 만나러 온 손님이었다니. 해송의 입술이 다시 벌어지기 전에 윤씨 아주머니가 문을 열었다.

"누구세요?"

"김루비 선생을 뵈러 왔는데요."

"어디서 오셨다고 전해드릴까요?"

"김연웅의 누이라고 하면 아실 겁니다."

'해송아, 가서 도련님 모셔 와.' 윤씨 아주머니는 손님을 안 쪽으로 모시며 해송에게 말했다. 얼떨결에 여자의 옆에 나란히 서 있던 해송은 괜히 좀 쭈그러진 어깨를 하고 문지방을 넘었다.

"그 누이가?"

서재에서 책장 맨 위칸의 책을 꺼내던 루비는 해송의 말에 어리둥절한 표정으로 말했다. 바로 이어 위 쪽에서 떨어지는 먼지 때문에 켁켁 기침을 하는 모습이 꼭 뭔가 켕기는 사람 같았다. 해송은 고개를 끄덕이고 먼저 뒤돌아 걸음을 옮겼다. 이유 모르게 심장이 쿵쾅거렸다. 중요한 잔칫날 산적에 간장을 쏟았을 때처럼, 마님 옷을 다리다 태워먹었을 때처럼 혼날 행동을 한 것마냥 마음이 자꾸만 아래로 떨어졌다. 왠지 모르게 어디론가 도망치고 싶어서 치맛자락을 꽉 쥐었다. 이럴 때는 자신이 도련님의 손님을 맞이해야 하는 상황이 참 얄궂었다.

부엌으로 돌아온 해송은 차를 우리기 위해 물을 끓이고 찬장을 열었다. 말린 맨드라미 꽃이 담긴 통에 손을 뻗었다가 옆에 있는 홍차잎을 꺼냈다. 맨드라미 꽃차는 도련님이 즐겨마시는 차였다. 빨갛게 우러나는 찻물을 머금을 때면 도련님의 입술도 꼭 그 색처럼 붉게 물들었다. 해송은 머리를 작게 흔들어 떠오르는 잔상을 흩뜨리고 찻잔을 꺼냈다.

응접실로 찻상을 내갈 때까지 도련님은 보이지 않았다. 허리를 곧게 펴고 반듯하게 앉은 여성의 옆태가 몹시 고왔다. 해송은 그를 곁눈질하지 않도록 애쓰며 차를 따랐다. 어깨 위로 잘린 단발머리가 부드럽고 탄력 있어 보였다. 청초한 얼굴 위에서 빛나는 두 눈은 유려한 곡선을 그렸고 그 눈빛에는 자신감이 가득 차있었다. 해송이 차가 담긴 잔을 앞에 놓아주자 그는 고개를 살짝 끄덕이며 눈인사를 했다. 그제야 루비가 응접실로 들어왔다. 자리에서 일어나 마주 인사하는 두 사람의 모습이 그림 같았다.

"제가 김루비입니다. 김연웅 선생의 누이 되신다고요."
"네. 김수진입니다."

해송이 조용히 루비의 잔에 차를 따르는 동안 루비가 옆으로 다가와 자리에 앉았다. 해송은 두 사람에게 인사하고 응접실 밖으로 나왔다. 꼭 꿈속에서 걷는 것처럼 다리가 무겁게 움직였다.

낯선 얼굴과 마주 앉은 루비는 차를 입술 끝에만 살짝 대고 금방 잔을 내려놓았다. 홍차를 싫어하는 것은 아니었지만 썩 좋아하는 것도 아니었다. 오라버니와 그리 닮은 얼굴은 아니군. 루비는 눈에 띄게 수려한 얼굴의 수진을 보며 생각했다.

"무슨 일로 저를 찾아오셨습니까?"
"저희 오라비가 돈을 빌렸다 들었습니다."
"……"
"제 교육비로 쓸 생각이라고 했다지요."

루비는 돌아가는 상황을 파악하려고 눈을 굴렸다. 이거 내가 바로 수긍해도 되는 일인가? 루비가 괜히 다시 찻잔을 들어가며 꿈지럭거리는 동안 수진이 가방에서 봉투 하나를 꺼내 상 위에 올렸다.

"오라비가 말한 액수에 맞춰 가져왔는데 혹 부족하다면 말씀해 주십시오."
"아… 오라버님이 선생께 직접 전하라 하신 겁니까?"

"아닙니다. 부끄럽지만 제 오라비가 저를 핑계로 선생께 돈을 빌렸다는 사실을 무용담처럼 떠들고 다녀서 저희 집에까지 소식이 닿았습니다. 저희 집은 물자로써는 부족함이 없어 제 학습비 또한 아버지께서 문제없이 감당해주고 계십니다. 그 돈은 아마 그 치가 노름 밑천으로 다 써버렸을 겁니다."

"허… 그렇군요."

"이런 괘씸한 소식을 전하게 되어 죄송스러울 뿐입니다."

사과를 전하는 단단한 말에는 조금의 죄송함도 담겨있지 않았다. 하긴 저 이가 죄송할 일이 아니지. 아마도 저 의학도는 자기도 모르는 새 연루된 잘못에 대해서 오로지 혈육으로서의 책임감만을 느끼고 있을 것이었다. 어쨌거나 받을 기대 없이 빌려준 돈을 받게 된 것이기 때문에 루비도 특별히 기분 나쁠 것은 없었다.

"아닙니다. 선생께서도 괜한 일에 이름이 오르내려 불쾌하셨을 텐데 이리 먼저 살펴주시니 오히려 고마울 따름입니다."

루비의 무던한 말에 수진이 미소 지었다. 호선을 그린 입매가 훨씬 따뜻한 인상을 만들어냈다. 루비는 실례가 되지 않을 선에서 그의 모습을 눈에 담았다. 모래색의 바지 양장을 갖춰 입고 단발머리를 자연스럽게 늘어뜨린 그는 처음 방문하는 공간에서도 거리낌이 없어 보였다. 똑똑한 사람인 것 같네. 루비도 수진을 보며 마주 미소 지었다. 남김없이 비운 수진의 찻잔을 내려다보는 루비의 눈은 깊은 물에 빠지는 것처럼 침잠하고 있었다.

"찾아오신 손님께 어찌 식사 한 끼 대접하지 않고 보내
 드릴 수 있겠습니까?"
"그래서 부러 식사 때를 피해 방문한 것입니다. 게다가
 이제 약속된 일정까지 있으니 정말로 괘념치 마십시오."

루비는 집을 나서는 수진을 배웅했다. 지극히 격식적인 질문과 형식적인 대답이었다. 응접실로 돌아온 루비는 수진이 전한 봉투를 대충 바지 주머니에 넣고 주변을 두리번거렸다. 아까부터 해송이 보이지 않았다. 오늘은 따로 자리를 비우라고 하지는 않았는데? 찻상을 치우러 들어온 사람도 윤씨 아주머니라서 루비는 참지 못하고 물었다.

"해송이는 어딨어요?"
"부엌에서 점심 준비하고 있죠."
"음식은 아주머니가 해주신 게 맛있는데."

루비는 자신이 해송만을 좇고 있다는 게 너무 티 나지 않도록 적당히 핑계를 댔다. 윤씨 아주머니는 가벼운 웃음이 섞인 숨을 뱉으며 대꾸했다.

"이제 해송이도 손맛이 생겼어요. 어릴 때부터 꾸준해서 그런가 이젠 더 가르칠 게 없을 정도라니까요."

윤씨 아주머니는 찻상을 든 채 목례하고 부엌 쪽 복도로 난 응접실 문을 나섰다. 손맛이라. 해송이 못 하는 게 없다는 것이야 알고 있었지만 그래도 아직 어린 해송이 손맛을 가질 정도로 꾸준히 음식을 해왔다는 사실에 웃음이 나지는 않았다. 해송이보다 한 살 많은 루아는 할 줄 아는 음식이 하나도 없는데. 심지어 어머니마저도 요리하는 모습을 한 번도 본 일이 없었다. 하긴, 나부터가 다 눌어붙은 죽 한 그릇 말고는 만들 줄 아는 게 없는 걸. 그것도 해송이 열에 시달리며 누워있었던 날, 태수를 들들 볶아가며 배운 음식이었다. 그마저도 서툴러서 탄내가 났었지. 루비는 얼마 전 해송이 가져왔던 소담한 배숙을 생각했다. 심지어 자신이 아픈 것도 아니고 아플지도 모른다는 이유로 해송이 만들어 준 것이었다. 서재에서 함께 책을 읽을 때면 넓은 세상에 대한 호기심으로 반짝이던 해송의 눈을 떠올렸다. 홍차의 쌉쓸한 맛이 아직도 혀 끝에 맴돌았다.

해송은 무거운 솥뚜껑을 힘주어 옆으로 밀듯이 열었다. 구수한 밥 내음이 가득한 증기가 솟아올랐다. 좀 전에 루비의 손님이 돌아갔으니 원래라면 지금쯤 응접실을 정리하고 있어야 하겠지만 무슨 일인지 윤씨 아주머니가 대신 살피겠다며 해송에게 솥을 맡겼다. 윤씨 아주머니는 도련님이 응접실 밖으로 나오기 한참 전부터 부엌을 비우고 있었다. 해송은 밥을 주걱으로 저어 잘 섞었다. 뒤쪽에서 그릇을 씻던 애란은 해송의 속도 모르고 연신 종알거렸다. 아까 찾아온 아가씨가 얼마나 고왔는지, 옷이 얼마나 좋아 보였는지, 도련님과 함께 문밖을 나설 땐 얼마나 근사했는지… 해송은 말없이 밥을 펐다. 증기를 쐰 손이 후끈거렸지만 일을 멈추지 않았다. 그때 찻상을 가지고 돌아온 윤씨 아주머니가 해송을 불렀다.

"해송아, 도련님은 방에서 식사하신다니까 따로 갖다 드려야겠다. 마님께서도 방에서 드실 거야. 그건 내가 차려갈게."
"네."

해송은 앞치마 끈을 다시 동여매고 상을 차렸다. 자신의 본분은 식사를 준비하고 가져다 드리는 것처럼 도련님의 시중을 드는 일이었다. 그것을 잊어서는 안 됐다.

해송이 루비의 방문을 두드리자 대답 대신 문이 벌컥 열렸다. 루비는 해송을 보고 싱긋 웃더니 문을 두드리느라 옆에 내려놓았던 밥상을 손수 들었다. 해송이 말리기도 전에 이미 성큼 방 안으로 들어간 루비는 방 한가운데 상을 내려놓고 해송에게 들어오라며 손짓했다. 해송은 루비의 옆에 앉아 굴비의 살을 바르려 따로 준비한 젓가락을 들었다.

"해송아, 잠시만 나 부탁 좀 들어줄래?"
"네, 말씀하세요."
"문 선생님께 보낼 글인데 매끄럽지가 못 한 것 같아서 말이야. 네가 소리 내서 좀 읽어주면 어색한 부분을 찾을 수 있을 것 같아."

루비는 해송에게 종이 몇 장을 건네주었다. 다음 주 신문에 실릴 서평이었다. 해송은 젓가락을 반듯이 내려놓고 루비가 건네준 글을 또박또박 읽기 시작했다. 침착한 해송의 목소리가 방 안에 울려 퍼졌다. 국가 간 무역에 대해 다룬 책의 서평이었기 때문에 처음 보는 단어들이 많았다. 해송은 실수하지 않기 위해 집중해서 천천히 글을 읽었다. 해송이 읽는 것을 마치자 루비가 만족스럽다는 듯이 고개를 끄덕였다.

"음, 속으로 읽을 때는 어색한 것 같았는데 해송이 목소리로 들으니까 또 괜찮네. 고마워."

해송은 처음 본 단어들을 머릿속에 새기며 종이를 다시 루비에게 건넸다. 밥이 다 식었겠네. 급히 젓가락을 들려고 보니, 이미 굴비의 가시가 정갈하게 발라져 있었다. 루비는 별 다른 말 없이 밥을 먹었다. 방에서 따로 식사를 할 때면 입버릇처럼 말했던 '둘이 같이 먹으면 좋을 텐데.' 하는 말도 없었다. 해송이 고개를 돌려 창 밖으로 시선을 던졌다. 가을 하늘이 구름 한 점 없이 파랬다. 해송의 뒤통수에 가을바람만큼이나 선선한 루비의 음성이 닿았다.

"해송아, 내일 나 시내 나가야 하는데 같이 가줄래?"
"…태수랑 같이 가시는 게 좋지 않을까요?"
"태수는 내일 우리 부모님 모시고 형 네 집에 가서."
"아, 네. 알겠어요."

짧은 대화 후 몇 번 더 수저를 움직인 루비는 평소보다 이르게 상을 물렸다. 상을 들고 방문을 넘는 해송의 어깨를 바라보는 루비의 눈빛이 짙었다.

***

퇴근하는 어르신의 차가 대문 밖에 서는 소리가 들렸
다. 마님은 웃음이 가득한 얼굴로 앞서 마중을 나갔다.
태수는 어르신이 내리도록 차문을 열고 닫은 다음, 앞
좌석에서 짐을 내리느라 분주했다. 어르신의 팔을 잡은
마님이 소리쳤다. '얘, 해송아. 태수랑 같이 저 옷들 좀
안방으로 옮겨 줘.'
해송은 태수와 함께 옮긴 보따리를 풀어 정리했다. 해
송이 루비의 옷들을 찾아 고르는 동안 마님은 어르신
의 겉옷을 받아주며 여전히 방긋방긋 웃었다.

"당신 오늘 기분이 좋아 보이는군."
"아니 그게…"

마님은 태수가 완전히 방을 떠났는지 고개를 쭉 빼서
확인하고는 말을 이었다.

"오늘 우리 집에 웬 아가씨가 찾아왔거든요. 근데 누굴
보러 온 건 줄 알아요?"

어르신은 뜻밖의 이야기가 의아한 듯 미간을 찡그리면

서도, 신나서 이야기하는 아내가 귀여운지 웃음을 머금고 있었다.

"그 아가씨가 글쎄, 루비를 보러 왔다는 거예요. 그것도 아주 고운 아가씨가요."

"루비를?"

"그러니까요. 만날 집에만 있고 밖에 나가도 책방만 드나드는 줄 알았더니. 청춘은 못 속이는 거죠."

"그럼 루비랑 마음이 통한 아가씨인 거요?"

"음, 그건… 확실치 않은데. 둘이 딱 보니까 금방 그렇게 될 것 같아요."

"그놈, 나이가 차서 이제 슬슬 결혼 자리를 알아봐야 하나 걱정했더니. 거 잘 됐군."

"어머, 맞아. 게다가 그 아가씨, 김연웅 군 누이래요."

"김연웅? 그럼 그 시청 골목 병원장 네 여식이란 말이오?"

"네! 너무 괜찮죠?"

"그 집 아들이 루영이랑 또래 아니오? 그럼 그 아가씨는 루비랑 비슷한 나이겠군."

물 흐르듯 이어지는 두 사람의 대화 속에서 해송은 떨리는 손으로 옷더미를 파헤쳤다. 두 사람의 대화는 거센 물살이 되어 해송의 평정심을 모두 쓸어갔다. 옷가지들이 다 펼쳐져 있었지만 그냥 모든 걸 내버려 두고 방을 뛰어나가고 싶었다. 차라리 나중에 혼나는 게 낫지 않을까? 난 아직 이런 이야기를 들을 준비가 되지 않았는데… 문득 그런 생각이 들자 벅차오르던 설움이 뚝 그쳤다. 자기도 모르는 새 주제넘은 마음이 너무나 커져있었다. 도련님을 보낼 준비 같은 것은 평생 되지 않을 것이다. 언젠가 다 가라앉을 거라고 자신을 다독여왔지만 사실 시간이 갈수록 감정은 더욱 커져만 간다는 걸 다 알고 있었다. 그리고 내가 준비되는 게 뭐? 해송은 자신의 넘치는 마음을 비웃었다. 내가 준비가 되든 말든 그건 도련님과 아무 상관도 없는 일이었다. 도련님이 본인과 잘 어울리는 대단한 집안의 귀한 아가씨와 결혼할 거란 사실은 이 집의 모두가 당연하게 예상하는 일이었다. 해송은 울렁이는 마음을 삼키며 급하게 흩어진 옷들을 쌓았다.

"그래, 당신 보기엔 어땠소? 그 오래비는 조금 경망스러운 데가 있던데."

"저도 사실 그 사람이 한량 같아서 아예 염두에 두질 못했는데, 아가씨는 아주 강단 있고 똑똑하더라고요. 직접 대화를 해본 건 아니고 자세한 상황은 윤씨한테 들었어요. 마당을 지날 때 창 밖으로 보니까 걸음걸이부터가 당차고 멋지던 걸요."

"뭐, 당신 맘에 들었다니 안 봐도 훌륭한 아가씨겠군."

마님은 행복한 듯 몸을 기울이며 소리 내어 웃었고 어르신은 그런 아내를 단단히 받쳐주며 미소 지었다. 해송은 저 두 어른이 얼마나 좋은 분들인지 생각했다. 다른 집 이야기를 들어보면 이만한 대우를 해주는 넉넉한 어른들은 흔치 않았다. 이런 은혜에 보답은 못 할망정 그 행복을 넘봐서는 안 될 일이었다. 해송은 말끔하게 정돈된 보따리들을 한쪽에 정리해 놓고 루비의 옷을 품에 안은 채 방을 나섰다.

***

어르신과 마님이 큰 아들의 집으로 출발한 후, 해송은 갓 짜낸 쌍화탕을 쟁반에 받쳐 들고 루비의 방문을 두드렸다. 방 안에 들어서니 루비는 셔츠 깃을 올린 채 넥타이를 매고 있었다. 평소보다도 더 근사한 모습에 해송은 급히 눈길을 내렸다.

"오늘 아침에 달인 쌍화탕이에요."

루비가 쟁반을 내려놓고 있는 해송 곁으로 성큼 다가

왔다. 해송은 여전히 시선을 맞추지 않은 채 말했다.

"식기 전에 드세요."
"…해송이 졸려?"
"네?"

뜬금없는 말에 해송이 놀라 대답하며 눈을 들었다. 루비는 커다란 눈에 걱정을 가득 담고 해송의 얼굴을 들여다봤다.

"이거 해송이 마셔."
"아니에요!"

해송도 모르게 소리치듯 대답이 튀어나왔다. 마음을 꽁꽁 묶어 놓은 만큼 작은 친절에도 덜컹이는 소리가 컸다. 해송은 자신이 낸 소리에 자기가 놀라 허둥지둥 말을 붙였다.

"마님께서 꼭 챙겨드리라고 하셨어요."
"화내는 거 보니까 네가 마셔야 되겠는데? 쌍화탕은 원래 화 많이 내는 사람들이 마시는 거래."
"화… 낸 거 아니에요. 죄송해요."
"장난친 거야. 죄송은 무슨."

루비가 피식 웃으며 해송의 코 끝을 살짝 건드렸다. 해송은 자신의 코로 올라가는 손을 막으려 앞에 놓인 의자 등받이만 꽉 쥐고 있었다. 그런 해송을 잠깐 내려다보던 루비가 고갯짓으로 쌍화탕을 가리키며 말했다.

"그럼 해송이가 기미 해줘."
"마님이 주신 거예요. 어머니가 주신 음식을 걱정하는 사람이 어딨어요."
"나 원래 불효자식이잖아. 어릴 때는 어머니가 직접 먹여 주시는 음식도 안 먹었어."
"…밖에서는 그런 말씀 하시면 안 돼요."

해송은 그릇을 들어 입술 끝만 살짝 적실만큼 작은 한 모금을 마시고 곧바로 루비에게 내밀었다.

"그걸론 안 된다. 더 마셔 봐."

해송은 루비와 눈을 맞췄다. 저 맑은 눈. 평소에는 맥없이 무르면서 이럴 때만 단단해지는 저 따뜻한 눈. 뽀얀 낯빛만큼이나 마냥 순한 것 같다가도 한 번 품은 고집은 절대 꺾지 않는 도련님의 저 다정하고 단단한 눈. 해송은 다시 그릇을 입술에 댔다. 몇 번의 재촉으로 반절 가까이 그릇을 비웠다. 루비는 만족스러운 웃음을 띄웠다. 해송이 눈가를 찌푸리며 다시 그릇을 내밀었다. 쓴맛 때문에 아랫입술을 살짝 깨문 상태였다. 루비는 울대를 몇 번 움직여 쌍화탕을 모두 마셨다. 참 새같이 작은 모금으로 여러 번이나 꼴깍대야 했던 해 송에 비하면 순식간의 일이었다. 그리고는 아무렇지 않 은 얼굴로 작은 접시 위에 있는 사탕을 집어 해송의 입에 넣었다. 루비의 엄지가 해송의 잇자국이 난 입술 을 지그시 누른 후 떨어졌다.

"오늘 옷 단단히 입어."

언제나처럼 상냥한 말투로 말한 루비가 넥타이를 끝까 지 올리고 셔츠깃을 정리했다. 해송은 고개를 끄덕이고 곧바로 방을 나왔다. 빈 그릇과 쟁반을 들고 복도를 걷 는 해송의 입안이 달았다.

***

해가 어깨 위에 떠있을 무렵, 두 사람은 대문을 나섰 다. 해송은 조용히 루비의 뒤를 따랐다. 도련님과 단둘 이 밖을 나서는 것은 원래 굉장히 드문 일인데, 이번에는 둘이서 마지막으로 외출한 것이 언제인지 기억이 안 날 만큼 오랜만이라 더욱 어색했다. 얼마 전, 빗 속에서 함께 우산을 쓰고 걸었던 것이 꿈만 같았다. 그래, 그건 특별한 일이었지. 해송은 울긋불긋 물든 단풍으로 시선을 옮겼다. 외출복 차림으로 걷는 도련님의 뒷모습을 바라보는 것은 그다지 즐거운 일이 아니었다.

문득 루비가 해송을 돌아보았다. 해송의 시선이 다른 곳에 있기는 해도 계속 걷고 있었기 때문에 루비는 의아한 마음이 들었다. 갑자기 걸음을 멈춘 바람에 해송이 루비에게 부딪힐 만큼 가까이 다가섰다. 루비는 놀라는 해송이 넘어지거나 다치지 않도록 팔을 벌려 품을 내줬고 해송은 루비의 가슴팍에 코를 박았다.

"아이고… 괜찮으세요, 도련님?"
"응, 나야 뭐. 너 코 아프겠다."
"아니에요. 살짝 부딪힌 걸요."

해송은 부끄러워서 얼굴이 화끈 달아올랐다. 걷는 것도 제대로 못하는 줄 아시겠네. 루비는 해송의 팔을 살며시 잡은 채로 말을 이었다.

"내 걸음이 빨랐어?"
"네?"

"뒤에서 천천히 오길래 뭘 하느라 그런 줄 알았는데
그것도 아닌 것 같고."
"아…"
"천천히 걸을게. 이리 와."

루비는 해송을 끌어다 자신의 옆에 놓고 느릿느릿 걸
음을 옮겼다. 바보 같은 도련님. 태평한 성격만큼이나
느슨한 걸음을 가지셔놓고는 내가 못 따라가는 거라고
생각하시다니. 하지만 속엣말은 그대로 넣어두고 루비
와 나란히 발을 맞춰 걸었다. 언제나 재게 움직이는 해
송으로서는 몹시도 느린 속도였지만 그만큼 길을 오래
걸을 수 있다면 그리 나쁜 일은 아니었다.

시내에 도착한 두 사람은 책방에 들어섰다. 책방 사장
이 루비에게 반갑게 인사했다. 책장이 빼곡한 안쪽으로
해송을 데려간 루비는 주머니에서 회중시계를 꺼내 시
간을 확인했다.

"해송아, 오늘 책을 몇 권 사갈 건데 책 좀 골라 줄래?"
"제가요?"
"응. 제일 재밌을 것 같은 것들로 좀 골라줘."
"…네. 해볼게요."
"나는 잠깐 위에 출판사에 좀 다녀와야 해서. 부탁해."
"네."

루비는 해송을 보며 함께 고개를 끄덕인 후 계단으로 향했다. 그러다 금방 해송에게 다시 돌아와 나지막한 목소리로 속삭였다.

"모르는 사람이 말 걸면 대꾸하지 말고."
"네."
"…혹시 그래도 자꾸 말 붙이면 바로 저기 사장님께 일러라."
"알겠어요. 걱정하지 마세요, 도련님. 책방 처음 오는 것도 아닌데요."

해송이 킥킥 웃음을 터뜨리며 고개를 저었다. 루비는 마주 웃어주며 돌아서 다시 계단 쪽으로 걸음을 옮겼다. 웃음기는 그새 가셔있었다. 아무것도 모르는 해송이, 자기가 얼마나 사람을 불안하게 하는지도 모르고. 계단을 완전히 오르기 전 난간 틈새로 내려다본 해송은 햇살을 받으며 책을 읽고 있었다. 그 모습을 모두가 볼 수 있다는 것이 그저 초조했다.

출판사 문을 열고 들어선 루비가 칭문 바로 앞에 놓인 책상으로 다가갔다. 가방에서 봉투 두 개를 꺼내 책상 주인 앞에 놓으며 말했다.

"이번 달 원고요. 하나는 전에 말한 문 선생님 책에 대한
서평이오."
"역시 기일에 늦는 법이 없습니다."
"소설은 4주 분이니, 다음 달 말일에 또 오겠소이다."

루비는 편집장이 붙잡을 새도 없이 훌쩍 사무실을 떠
났다. 찰나의 시간이라도 해송을 혼자 두는 것이 불안
했다. 오늘따라 유독 마음이 조급한 것은 인정할 수밖
에 없었다.

두 사람은 점심때가 되어 책방에서 나왔다. 루비가 이
끄는 대로 걸어 도착한 식당은 딱 봐도 으리으리한 호
텔의 1층에 딸린 곳이었다. 지나면서 화려한 외관을 올
려다본 것이 전부였던 해송은 왠지 긴장이 되어 침을
꿀꺽 삼켰다.
익숙하게 메뉴를 주문한 루비는 음식이 나오기 전까지
책에 대한 이야기를 했다. 해송이 고른 책을 꺼내보며
왜 이 책을 골랐는지, 해송은 어떤 책을 가장 좋아하는
지 묻기도 하고 그 책과 비슷한 책은 어떤 것이 있는
지 차분히 말해주기도 했다. 이어지는 대화에 해송의
긴장이 슬슬 풀릴 때쯤, 해송과 루비의 테이블에 음식
이 올라왔다. 해송은 눈앞에 놓인 구운 고기를 내려다
보았다. 언젠가 도련님이 보여주었던 잡지에서 본 적이
있는 음식이었지만 실제로 보는 것은 처음이었다. 어르

신은 언제나 한식을 즐겨드셨기 때문에 그릇 양쪽에 놓인 식기들도 집에서는 본 적이 없는 것들이었다. 머뭇거리던 해송이 루비가 하는 모양새를 보고 따라 하려고 하자 루비가 해송을 말렸다.

"어, 해송아, 하지 마. 내가 해줄게."

벌써부터 서툰 게 티가 났다. 해송은 민망함에 귀 끝을 붉게 물들였다. 고기를 썰다 말고 해송의 눈치를 본 루비가 부드럽게 설명하기 시작했다.

"사실 원래는 내가 너한테 밥 해주고 싶었거든. 근데 내가 할 줄 아는 요리가 있어야지. 그래서 대신 이렇게 사주기라도 하려는 거니까… 스테이크 써는 정도는 내가 하게 해 줘."
"저한테 밥을요? …왜요?"

예상치 못한 말에 해송이 궁금함을 숨기지 못했다. 루비는 해송 앞에 놓인 접시와 자신의 접시를 바꿔놓으며 대답했다.

"해송이도 남이 해준 밥 먹었으면 좋겠어서."

해송은 동그랗게 뜬 눈을 데굴 굴렸다. 이런 게 오라버

니의 마음일까? 자신을 유독 아끼는 루비의 다정함이
속절없이 야속했다.

"먹어 봐."

루비가 눈짓하며 말했다. 해송은 작은 조각을 하나 찍어
입에 넣었다. 상상했던 것과는 달리 처음 느껴보는 새
로운 맛이었다. 나쁘지는 않았지만 그래도 잔칫날 윤씨
아주머니가 해주시는 갈비찜이 훨씬 더 맛있다는 생각
을 했다. 해송의 눈치를 보느라 자신은 한 입도 먹지
못한 루비의 눈망울이 반짝였다. 해송은 웃으며 고개를
끄덕였다.

"맛있어요."
"다행이다."

루비는 그 특유의 주변이 환해지는 웃음을 짓고서, 그
제야 자신이 먹을 스테이크를 썰었다. 해송은 고기를
꼭꼭 씹었다. 의미 있는 추억이 될 순간이었다.

식사를 마치고 커피까지 마셨다. 처음 맛본 커피는 각
오했던 것보다도 훨씬 썼다. 혀를 빼어 물고 끔찍해하
는 해송의 얼굴을 보고 루비는 눈물이 날 정도로 하하
웃었다. 결국 설탕을 잔뜩 섞은 커피를 홀짝 거리면서,

해송은 주위를 둘러보았다. 식당에 있는 모든 사람들은 화려하고 근사한 차림이었다. 남자들은 다들 도련님과 비슷한 복장이었고, 여자들도 세련되고 멋진 양장을 입고 있었다. 마치 어제 루비를 찾아왔던 그 아가씨처럼. 물론 나이가 있는 손님 몇몇은 한복을 입고 있기도 했지만, 젊은 여성 중에 저고리를 입은 사람은 저뿐이었다. 그제야 사람들의 시선이 신경 쓰였다.

해송은 억울한 마음이 들었다. 오늘 몇 번이나 느낀 이 부끄러움은 혼자였다면 아마 절대 느낄 일이 없었을 것이었다. 처음 본 식기들을 쓸 줄 몰랐어도, 처음 먹어 본 스테이크와 커피를 즐기지 못했어도, 남들과는 다른 복장으로 이런 곳에 앉아있게 되었어도 혼자였다면 딱히 부끄럽지 않았을 테지. 세상 모든 사람은 처음 해보는 일이 있는 것이고 그게 서툰 것은 부끄러울 일이 아니니까. 하지만 루비와 함께 함으로써, 해송은 그런 서툰 자신이 부끄러웠다. 루비를 망신시킬까 봐, 그리고… 루비와 절대 어울리지 않는다는 사실을 새삼스럽게 깨닫게 될까 봐. 해송은 커피를 한 방울도 남기지 않고 모두 마셨다. 이제 후회할 일은 없었다.

시내에서 일을 모두 마친 두 사람은 집으로 향했다. 해송은 그런 줄로 알고 있었지만 집으로 가는 갈림길에서 루비가 걸음을 멈췄다.

"해송아, 같이 갈 데가 있어."

루비의 눈빛이 진지했다. 해송은 궁금해하지도 않고 말 없이 루비를 따라 걸었다. 호기심 많은 해송에게 궁금 증이 없다는 것은 체념이거나 안정이었다. 이제는 두 사람이 나란히 걷는 것에 꽤 익숙해져 있었다.

루비가 이끈 곳은 산 아래 이어진 작은 들판이었다. 오 솔길을 지나 들판이 보인 순간, 해송은 자기도 모르게 와, 하고 감탄하는 소리를 냈다. 예전에 시간이 날 때 면 종종 미진과 가볍게 나들이를 나온 적이 있어서 낯 선 곳은 아니었지만 이 계절의 모습은 처음 보는 것이 었다. 주변의 높은 언덕 사이에 펼쳐진 들판은 코스모 스로 가득 차 있었고 살짝 솟은 들판의 위쪽에 선 단 풍나무는 새빨갛게 물들어 있었다. 해송이 감탄하느라 걸음을 늦추자 몇 발자국 앞선 루비가 뒤를 돌아봤다. 아름다움에 어지러워하는 해송의 얼굴을 보던 루비는 몸을 반쯤 돌린 그대로 손을 뻗었다.

"이리 와."

해송은 천천히 눈을 깜박였다. 이 들판을 두르고 있는 저 언덕들 때문인지, 아니면 공간을 가득 채운 코스모 스 때문인지, 아니면 낮은 목소리로 말하는 도련님의 저 둥근 말씨 때문인지, 아니면 자신을 바라보는 청량한 도련님의 얼굴에 내려앉은 눈빛이 한껏 짙어서인지, 그것도 아니면… 이 모든 것들 속에서 자신의 욕망이 결국 빗장을 부수고 튀어나와서 인지는 모르겠지만, 그 손을 너무나 잡고 싶었다. 해송은 긴 망설임 없이 루비의 손을 잡았다.

손가락을 엮은 두 사람은 단풍나무 아래로 향했다. 새빨간 낙엽이 쌓인 곳에 담요를 펼쳤다. 해송은 루비가 납작한 가방에서 차곡차곡 접힌 담요를 꺼내는 게 꼭 요술 같다고 생각했다. 두 사람은 나란히 앉아서 코스모스 바다를 바라보았다. 잔잔한 바람에도 코스모스는 살랑살랑 파도치며 작은 소리를 냈다. 단풍나무 그늘 안에서 내려다본 들판에는 찬란한 햇살이 청광하게 부서지고 있었다.

코스모스가 한쪽으로 기울 만큼 큰 바람이 불자 단풍나무에서 낙엽이 우수수 떨어졌다. 루비는 자신의 무릎 위에 떨어진 새빨간 단풍잎을 집어 들고 해송에게 보여주며 말했다.

"해송아, 그거 아니? 내 이름 루비 있잖아. 서양에서는 홍옥을 루비라고 한대. 이렇게 빨간 보석을 말이야."
"도련님이랑 잘 어울리네요."

화려한 보석 중에도 새빨간 홍옥이라니. 존재만으로 빛

나는 루비에게 그보다 잘 어울리는 것이 있을까? 도련님은 이름마저도 도련님 같았다. 해송이 깊게 납득하는 사이, 루비는 손에 들고 있던 단풍잎을 해송의 머리카락 사이에 꽂았다.

"해송이 너도 너랑 잘 어울리는 이름이다."
"제 이름이요?"
"그래. 바다 소나무. 푸르고 강인한 너한테 적격인 이름이지."

해송은 입술을 모으고 작게 웃었다. 루비는 해송이 기분이 좋을수록 입술을 동그랗게 모은다는 것을 알고 있었다. 애틋한 눈길이 해송에게 쏟아졌다. 해송은 그것도 모르고 시선을 아래로 내린 채 주변을 두리번거렸다. 빨갛게 쌓인 단풍잎 아래에서 푸릇한 토끼풀을 찾은 해송은 그중 가장 긴 것을 뽑아 루비의 귀 위쪽에 꽂았다.

"솔잎은 지금 없지만, 비슷한 빛깔의 토끼풀이라도요."

해송이 루비의 머리카락을 곱게 넘겨주며 말했다. 아, 루비는 더 이상 눈빛을 숨길 수 없었다. 해송이 너는 알까, 너의 이 순수한 다정함이 얼마나 특별한지를. 해송이 루비에게서 손을 거두고 자신의 무릎 위에 얌전히 올렸을 때, 루비는 결국 넘치는 마음을 쏟아내고 말았다.

"해송아, 연모한다."

자신을 부르는 소리에 루비와 눈을 맞춘 해송은 이어지는 말에 굳은 듯이 멈췄다. 마치 루비의 눈빛이 자신의 눈을 꽉 붙들고 놓아주지 않는 것만 같았다.

"너에 대한 연정이 너무 커서 이제는 혼자 품고 있기가 어려워."

해송은 치맛자락을 꽉 움켜쥐었다. 아까 전 도련님의 손을 잡을 때와는 비교도 안 될 만큼 격렬한 파동이 마음 깊은 곳에서 치솟아 올랐다. 해송의 맑은 눈에 찰랑거릴 정도로 눈물이 맺혔다. 마찬가지로 젖은 눈을 한 루비가 해송에게 가만히 고개를 기울였다. 두 사람의 입술이 이어졌을 때, 해송은 감당할 수 없는 황홀함에 두려움을 느꼈다. 맞닿은 입술에서 같은 온기가 피어날 때쯤 루비가 천천히 입술을 뗐다. 가까운 거리에서 해송의 눈을 들여다보는 그의 눈가가 촉촉했다. 루비는 깊게 잠긴 목소리로 작게 속삭였다.

"해송이 너만 괜찮다면, 나는 너와 함께 하고 싶어. 앞으로 모든 날들을, 전부 다."

"저는… 저는 모르겠어요."
"나에 대한 마음을?"

루비가 애처로운 호흡으로 말했다. 순식간에 그 눈에 얼마나 큰 슬픔이 담겼는지, 해송은 자기도 모르게 루비의 손을 잡았다.

"아니요. 그게 아니라… 저는 어떻게 하는 게 맞는 건지 모르겠어요."
"너는 어떻게 하고 싶은데?"

해송은 루비의 손등을 덮은 자신의 손바닥을 느꼈다. 곤두선 촉각에 느껴지는 루비의 체온이 진짜라는 게 믿기지 않았다. 책장을 넘기는 도련님의 곧은 손가락을 볼 때마다, 자신에게 물건을 건네고 건네받는 그 커다란 손을 볼 때마다 감히 상상했던 온도였다. 해송은 자신이 하고 싶은 것이 무엇인지 정확히 알고 있었다. 해송은 루비에게 입 맞췄다. 그 입맞춤은 모든 대답을 대신하는 것이었다.

＊＊＊

집으로 돌아왔을 땐, 아직 루비의 부모님이 돌아오기 전이었다. 루비는 문 앞에서 해송에게 가방과 책이 담긴 봉투를 넘기고 일부러 성큼성큼 앞서 걸었다. 도련님, 다녀오셨어요. 인사하는 애란에게 가볍게 고개를 끄덕이는 루비의 행동이 군더더기 없었다. 짐을 끌어안은 해송은 자신의 심장이 밖으로 보이는 것 마냥 품을 웅크리고 루비의 뒤를 따라 걸었다. 루비의 방에 짐을 내려놓고 다시 방문을 나서기 직전, 해송과 어긋나게 서 있던 루비가 해송의 손목을 잡고 귓가에 조용히 말했다. 속삭이는 그 목소리는 몹시 작고 낮아서 입술이 움직이는 것이 다 느껴질 정도였다.

"이제부터 내가 생각만 했던 것들을 하나씩 준비할 거야. 달포 정도면 충분할 거다. 그때까지 해송이 너는 그저 지금처럼 지내면서 기다려주면 돼. 아무 걱정하지 말고. 알았지?"

해송은 루비와 짧게 눈을 맞추고 재빨리 고개를 끄덕이고 방을 빠져나왔다. 자신의 방으로 돌아와 겉옷을 벗어 벽에 붙은 옷걸이에 걸었다. 자신의 겉옷과 마주

선 해송은 그대로 옷깃에 얼굴을 묻었다. 바깥에서 오래 걸었기 때문인지 옷깃에서는 가을바람 냄새가 났다. 펄펄 끓어 넘치는 주전자 속 물처럼 자꾸만 눈물이 넘쳤다. 떨리는 속을 끌어안고 두 손을 맞잡았다. 도련님이 저를 누이나 동무가 아닌 연인으로 바라봐왔다는 사실이 믿기지 않았다. 감히 꿈속에서도 꿈꾸지 못했던 일이었다. 안고 갈 수 없을 만큼 터무니없이 큰 보따리를 받은 심정이었다. 감히 그 보따리를 풀어볼 엄두도 내지 못하는 해송은 자신의 그릇이 이렇게나 작았나 싶었다.

'해송이 너는 그저 지금처럼 지내면서 기다려주면 돼.' 방금 전 들었던 루비의 음성이 귓가에 울렸다. 그래, 나는 괜찮다. 해송은 몸을 돌려 벽에 등을 기댔다. 명치 앞에 맞잡은 두 손이 꼭 기도를 하는 모양새였다. 하지만 도련님은 내가 지켜드려야 할 분인걸. 살면서 어른들이 '나쁘다'고 할 만한 일은 한 번도 하지 않은 해송은 지금이 너무나 불안하고 무거웠다. 저와 도련님이 나쁜 일을 하는 것이 아니라는 걸 알면서도, 루비의 가족을 생각하면 견디지 못할 정도로 죄송스러웠다. 해송은 그대로 쪼그려 앉아 무릎에 얼굴을 묻었다. 나도 가족이 있었다면, 그 가족들은 뭐라고 했을까? 도련님도 나의 가족 때문에 어려운 마음이 들었을까? 해송은 지금 자신의 마음속에 부는 바람이 두려움인지 외로움인지 알 수 없었다.

***

루비의 부모님이 맏아들의 집에 다녀온 지 며칠 지나
지 않은 저녁이었다. 여느 때처럼 해송과 애란은 루비
와 그의 부모님이 식사하는 식탁에서 좀 떨어진 곳에
서서 주인네들이 필요한 것이 있는지 살폈다.

해송과 루비가 서로 마음을 확인한 이후로, 둘은 전보
다도 더 거리를 두고 있었다. 해송은 자신의 마음을 도
련님이 알고 있다는 사실 자체가 부끄러워서 그랬고,
루비는 자신의 섣부른 태도 때문에 해송이 위험해지는
일이 생기지 않길 바랐기 때문이었다. 그리고 해송과
단둘이 있을 때 각별히 주의하지 않으면 벅차오른 마
음이 충동질로 이어지는 것이 순식간이었기 때문에 그
런 불상사로 해송이 자신의 순애를 오해하는 일이 없
길 바라서기도 했다.
평소처럼 루비가 해송을 서재로 불러 책을 읽게 하는
일도, 방으로 따로 불러 보는 앞에서 약과를 깨물어 먹
게 하는 일도 없었지만 두 사람은 서로를 마주 볼 때

면 정염으로 끓어오르는 깊은 눈맞춤을 나눴다. 해송은
그 순간마다 루비가 얼마나 큰 인력으로 자신을 당기
고 있는지를 실감했다. 해송이 루비의 방을 떠날 때,
루비가 책이나 당과를 손에 쥐어주면서 손끝을 진득하
게 스치는 것만이 서로의 온도를 확인하는 기회였다.

식사를 하던 루비의 어머니가 필요한 것이 있는지
해송에게 손짓했다. 해송이 물이 담긴 주전자를 들고
식탁 가까이 섰을 때, 루비의 아버지가 루비에게 말을
꺼냈다.

"루비야, 다음 주부터 열흘 정도 네가 출근을 좀 해줘
  야겠다."
"제가요?"

자신의 눈앞에서 움직이는 해송의 손을 무심코 바라보
던 루비가 놀라며 되물었다.

"그래."
"무슨 일로…"
"애오개 쪽에 공사 시작하는 건물이 있는데 현장 자리
  잡을 때까지 파견될 사람이 필요해서 그래."
"하지만 저는 그쪽 일엔 문외한인걸요."
"그런 건 상관없어. 나와 가장 가까운 사람이 가서 신경

쓰고 있다는 게 중요한 거니까. 현장 감독은 따로 있
으니 너는 거기서 자리를 지키면서 매일 진행 상황
보고 받고 중요한 사람이라는 역할을 하면 되는 거야."

루비의 아버지는 대수롭지 않다는 듯한 투로 말했다.
루비의 젓가락질이 멈췄다.

"그런 거라면 형님이 가야 되지 않습니까?"
"루영이는 이미 맡은 일로 바빠."
"애오개 쪽이라고요."
"그래. 증축공사 하는 건물이라 그곳에 임시 사무실을
마련해 뒀다."

루비는 잠깐 골똘히 생각하는 얼굴을 하더니 이내 고
개를 끄덕이며 짧게 대답했다. 매일 시내 근처를 지나는
일정이라면 오히려 이건 기회일지도 몰랐다.

"출퇴근은 뭐, 태수가 나를 사무소에 내려주고 난 다음
데려다주면 되겠지. "
"아니에요. 번거롭게 그러실 것 없어요. 일하실 때 태수
필요하시잖아요. 사무소에서부터는 제가 알아서 가겠
습니다. 귀가할 때도 아버지 퇴근 시간에 맞춰 사무소
로 갈게요."

순순히 대답하는 루비를 바라보던 아버지가 국을 떠먹으며 말을 붙였다.

"시청 근처 병원의 김 원장이 분점을 내려고 짓는 거라더군. 딸이 학업을 마치면 그곳을 줄 모양이야, 위치도 지금 딸이 다니는 학교 앞이고."
"…그렇군요."

시청 근처 병원이라면. 해송은 전에 들었던 대화를 떠올렸다. 역시 대단한 집안들끼리는 어떻게든 접점이 생기는구나. 마님이 가리키는 반찬 그릇을 집어 들던 해송은 눈을 내리 깔았다. 당장이라도 루비의 표정을 확인하고 싶은 자신의 시선을 묶어놓기 위해서였다.

루비는 입에 넣은 동태전을 우물거렸다. 분명 부드럽고 촉촉할 텐데도 이상하게 입안에서 부서져 멋대로 돌아다녔다. 죄 없는 동태전을 탓할 것은 아니고 내 입안이 까끌해져서 그런 거겠지. 루비는 김연웅의 누이, 수진을 떠올렸다. 공부를 마치면 병원을 선물하는 아버지가 있는 사람. 그에게 차를 따라주던 해송의 둥근 어깨가 눈앞에 어른거렸다.

지금의 해송을 쫓아 시선을 돌리자, 해송은 등을 보이고 선 채로 루비의 어머니에게 줄 반찬을 담고 있었다. 우리 해송이, 학교도, 병원도, 아버지도 가지지 못한 해송이. 그럼에도 너그럽고 단단한 해송이. 루비는 그런 해송의 굳셈을 동경하고 경외했다. 그리고 동시에 그런 해송을 자신이 지키고 싶다고 생각했다. 해송이는 강인하고 나는 나약하지만 세상에는 단단한 것을 감싸는 무른 것이 있기도 하니까.

"그 집 자제들과는 너도 아는 사이 아니냐?"
"예. 그분 아드님과는 몇 번 식사를 같이 한 적이 있습니다."
"여식과는?"
"…특별히 친분은 없습니다."

묘한 분위기에 루비가 눈썹 사이를 좁히며 대답했다. 말수가 적은 아버지는 굳이 이런 이야기를 캐물을 분이 아니셨다.

"그럼 이번 기회에 좀 가까워지는 게 좋겠구나. 병원 쪽에서는 그 아가씨가 현장을 확인하러 올 거야."

해송은 반찬을 집는 기다란 나무젓가락을 놓칠 뻔해서 다급히 손가락에 힘을 주었다. 가까스로 소란은 면했지만 근처에 더 있다가는 정말 사고라도 칠 것 같아서 발소리를 죽이고 다시 애란 옆으로 돌아가 발 끝을 보고 섰다. 말없이 자신의 부모님을 번갈아 본 루비는 밥을 퍼 입에 집어넣으며 가볍게 말했다.

"혼기가 다 찬 남녀가 가까워질 일이 뭐가 있겠어요. 괜히 남의 혼삿길 막는 일 없게 처신 제대로 하도록 하겠습니다."

루비의 어머니는 해송이 새로 가져다준 메추리알 조림을 깨물다 말고 입술을 멈췄다. 굳은 얼굴로 남편과 눈빛을 주고받은 마님은 그 시선을 해송에게 돌렸다. 어머니의 눈길이 어디로 향하는지도 모르고, 루비는 자신의 계획을 정리하고 조정하느라 바빴다. 모여 앉은 식탁에 서로 다른 생각들이 뭉게뭉게 피어났다.

***

해송은 내일 출근을 위해 일찍 자리에 누운 루비의 이불 끝을 꾹꾹 눌렀다. 며칠 새 바람에 겨울내음이 섞이기 시작해서 혹시라도 도련님이 자다가 춥기라도 할까 걱정이 됐다. 내일부터는 일을 하러 가실 텐데 포근히 주무셔야지. 해송의 걱정은 꼭 스스로를 타이르는 것 같았다. 루비가 열흘 동안 하루의 대부분을 밖에서 보낼 거라는 사실은 왠지 모르게 해송을 초조하게 만들었다. 왜 이렇게 불안하지? 도련님이 집을 떠나 있으면 함께 있지 못하니까? 도련님이 보고 싶을까 봐? 불안만 놓고 본다면 평소와 다른 모습을 애써 숨겨야 하는 지금이 더 위태로웠기 때문에 루비와 떨어져 있는 건 오히려 다행인 일이었다. 해송은 뒷덜미에 스치는 서늘함이 그저 추워지는 날씨 때문일 거라고 생각했다.

이불을 어깨까지 덮고 누워 얌전히 해송의 손길을 받던 루비는 그 움직임을 눈으로 좇았다. 말랑한 손으로 푹신한 이불 위를 누르는 해송의 모습이 꼭 메주 위에 꾹꾹 발자국을 남겨놓는 고양이 같았다. 루비는 이불 옆으로 살짝 손을 꺼내 해송의 손목을 잡았다. 해송은 잠깐 멈칫했지만 그 손을 뿌리치지는 못했다. 루비가 낮은 목소리로 작게 말했다.

"지금 네 방에 가서 네가 자리에 눕고 내가 이불을 덮어 주면… 안 될까?"
"네. 안 돼요."
"부모님은 나보다 일찍들 주무셔."
"그럼 도련님도 이제 얼른 주무세요."
"다른 사람들도 이 복도 끝끼지는 안 오잖아."

해송은 루비의 이 어리광이 미안함에서 나오는 것이란 걸 알았다. 자신에게는 당연한 이런 일들이 루비에게는

더 이상 마땅한 일이 아니었다. 마음을 감추지 않게 된
루비의 눈은 항상 그렇게 애처롭고도 뜨거운 빛을 담
았다. 해송은 자신의 손목을 감싸 쥔 루비의 손을 잡아
다시 이불 안에 넣고 전해지는 체온만큼이나 포근하게
웃음 지었다. 그 애잔한 미소를 바라보던 루비가 다시
손을 꺼내 손등으로 해송의 볼을 살살 문질렀다.

"해송아."
"네."
"걱정스러운 일 있어?"
"…아니요."
"그럼 내일 집에 내가 없어서 쓸쓸할까 봐 그러니?"
"네."

뻔뻔한 루비의 말에 해송이 웃으며 고개를 끄덕였다. 그
얼굴과 마주해서 환하게 웃은 루비는 볼을 매만지던 손
을 펼쳐 해송의 귀까지 넓게 감싸고는 차분히 말했다.

"그래. 그렇게 나를 그리워하는 것 말고는 아무 걱정도
 하지 말아라."
"……"
"이제 매일 시내 근처를 오가게 되었으니 준비는 더
 빨라질 거야."

루비가 정확히 어떤 준비를 하고 있는 건지는 몰랐지만 해송은 고개를 끄덕였다. 도련님은 손이 많이 가고 야무지지 못한 사람이었지만, 자신의 연인인 루비는 믿을만한 사람이었다. 어떤 근거가 없이도 그렇게 느낄 수 있었다.

"다 잘 될 거다."

마침표를 찍듯이 말한 루비는 그대로 몸을 일으켜 해송에게 입 맞췄다. 금방 닿고 떨어지는 입술이 몹시 아쉬웠다. 가까이서 마주한 루비의 눈동자는 언제나처럼 매끈하게 빛났다. 해송은 눈을 질끈 감고 먼저 루비에게 입술을 부딪혔다. 푸스스 흩어지는 루비의 웃음소리를 뒤로 하고 종종걸음으로 루비의 방을 빠져나오는 해송의 두 손은 자기도 모르는 새 앞치마를 꼭 움켜쥐고 있었다.

**

루비가 출근을 하게 되고 해송은 하루가 무척 길다는

것을 새삼 실감했다. 잡생각이 들 틈이 없게 하려고 열심히 몸을 움직이고 온갖 일들을 찾아서 해치웠지만 그 시간들은 끊임없이 지루하게 늘어졌다. 2층에서 서재와 루비의 방을 청소하다 보면 어느새 자기도 모르게 창밖을 내다보곤 했다. 아직 루비가 돌아오기까지 시간이 한참 남은 걸 알면서도 그렇게 물끄러미 대문을 바라보고 있었다. 루비가 없는 방에 홀로 서서, 문득 루비가 자신을 사랑하는 마음이 떠 가는 구름처럼 환상 같다고 느꼈다.

출근한 지 사흘 째 되는 날, 귀가해서 외투를 벗던 루비가 신난 얼굴을 감추지 못한 채 해송의 귓가에 속삭였다. '오늘 괜찮은 집 몇 채를 소개받았어. 내일은 그 중 한 군데를 보러 가보려고.' 집? 갑작스러운 얘기에 해송은 당황인지 황송인지 기쁨인지 모를 여러 감정들로 마음이 울렁거렸다. 루비는 넘실거리는 마음에 나부끼는 해송에게 마냥 헤헤 웃으며 말했다. '해송아, 퇴근하고 와서 이렇게 네가 옷을 받아주니까 꼭 신혼부부가 된 것 같아.'

무서울 만큼 평화로운 날들이었다. 열흘이 거의 지날 쯤에는 루비가 보여준 도면 중에서 해송이 마음에 드는 집을 고르기도 했다. 해송은 자신의 들뜬 마음을 누를 수도, 뻗어나가는 상상들을 멈출 수도 없었다. 아담한 집이지만 침실이 넓은 그곳에서 도련님이 자신에게 꼭꼭 이불을 덮어주는 모습은 망상일지라도 애틋하기 그지없었다. 서로 마음을 나눈 이후 즉시 함께 살림을 차릴 생각을 하는 것은 두 사람에게 아주 자연스러운 순서였다. 서로를 알아가는 시간이나 연애 같은 것은 필요 없었다. 두 사람은 이미 서로를 너무나도 잘 알고 있었고, 이미 서로를 너무나도 오래 사랑하고 있었다.

열흘 째 되는 날, 루비는 방을 나서기 전에 해송의 어깨에 이마를 비비적거렸다. '오늘이 마지막 날이라 현장 사람들이랑 함께 저녁식사를 하기로 해서 늦을 거야. 보고 싶어서 어떡하지?' 해송은 흐트러진 루비의 머리카락을 정돈해 주며 대답했다. '이제 내일부터는 또 하루종일 볼 수 있잖아요.' 루비는 살며시 눈을 감은 채 기분 좋게 웃었다. 마지막 출근이었다.

해송이 루비의 방을 청소하기 위해 방 문고리를 잡았을 때, 계단 쪽 복도에서 해송을 부르는 윤씨 아주머니의 목소리가 들렸다. '해송아, 마님이 부르신다.' 뒤에서 쏟아지는 햇빛 때문에 윤씨 아주머니의 얼굴이 잘 보이지 않았다. 해송은 루비의 방문을 다시 닫아놓고 걸음을 옮겼다.
안방 앞에 섰을 때, 문은 반쯤 열려있었다. 탁자 옆 의자에 이마를 짚은 채 앉아있던 마님은 해송의 인기척을 느끼고 고개를 들었다. '들어와.' 평소처럼 가쁘하고 상냥한 목소리였지만 그 끝이 조금 떨렸다. 해송은 꾸벅 인사하고 들어가 탁자 앞에 섰고, 마님이 손짓하는 대로 옆에 놓인 의자에 마주 앉았다.

"그래, 해송아. 요즘 별일은 없고?"
"별일이요?"
"응. 뭐 평소랑 다르거나 변한 일들… 그런 거."

해송은 움찔 떨린 손끝을 부여잡고 고개를 가로저었다. 어른께는 제대로 소리 내어 대답해야 하는 것을 알지만 차마 입술이 떨어지지 않았다.

"미진이 가고 허전하지는 않아?"
"아… 네. 윤씨 아주머니가 잘 챙겨주셔서요. 그리고 지난번에 마님께서 보내주신 덕분에 미진언니 만나고 오기도 했고요."
"그래. 다행이다."

마님은 고개를 돌리고 자신의 입술을 매만졌다. 왠지 초조해 보이는 모습에 해송도 덩달아 입안이 바짝 말랐다.

"그… 해송이가 우리 집 온 지 얼마나 됐지?"
"십오 년쯤 됐습니다."

"음… 그래. 그 정도 시간이면 정말 가족이지. 그렇지?"
"…네…"

마님은 몸을 앞으로 바짝 당겨 앉아서 테이블에 팔꿈치를 기댔다. 맞잡은 두 손을 입술 앞에 댄 마님은 루비와 똑 닮은 눈꼬리를 아래로 늘어뜨린 채로 속삭이듯 말을 꺼냈다.

"해송아."
"네, 마님."
"…우리 루영이네 다녀온 날, 루비가… 루비가 너한테 입 맞췄다는 게 사실이니?"
"네?"
"근처 언덕에서 너희를 본 사람이 있어서… 루비가 너를… 루비랑 네가…"

마님의 눈은 이제 거의 글썽이고 있었다. 해송은 이 와중에도 그 강아지 같은 눈이 루비 같다는 생각을 했다. 청천벽력과도 같은 소리에 급하게 붙잡은 작은 지푸라기였다. 도련님, 루비 도련님. 어쩌면 좋아요.

"혹시 루비가 너한테 강제로 무슨 짓을 한 거니?"
"아니에요!"

잔뜩 움츠러들어있던 해송은 고개를 번쩍 들며 황급히 말했다. 억울한 오해가 생기기 전에 제대로 이야기해야 했다. 도저히 움직이지 않는 입술을 겨우겨우 달싹였다.

"그런 게 아니에요. 도련님은… 도련님이 저한테 억지로 하신 건 아무것도 없어요."
"해송아…"
"죄송해요, 마님."

해송의 눈에 덜컥 눈물이 솟았다. 해송은 그동안 한기처럼 자신을 감싸던 불안이 뭔지 이제야 알 것 같았다. 해송은 무서웠다. 한없이 송구하고 또 서러웠다. 내가 왜 이렇게 죄송해야 하지, 내가 잘못한 건 없는데. 그런데 왜 이렇게 두렵고 죄책감이 들지…
마님은 그런 해송을 보고 잠시 무너지는 얼굴을 했다가 눈물을 닦아내고 여러 번 눈을 깜박이면서 평정을 찾으려 애썼다. 코를 훌쩍이는 소리가 방 안에 퍼졌다.

"루영이네로 가."

무릎 위에 마주 잡은 해송의 손등 위로 눈물이 뚝뚝 떨어졌다. 하늘 끝까지 둥실둥실 떠올랐던 설렘이 낙하하는 눈물방울처럼 곤두박질치는 감각이 생생했다.

"미진이도 있고, 이제 새로 아이 태어나면 일손도 더 필요할 테니까. 그러는 게 좋겠어."

"…네."

해송은 가늘게 숨을 내쉬었다. 마음 한 구석에는 조그맣게 안도감이 피어오르기도 했다. 어쩌면 자신은 일이 이렇게 될 거라는 걸 이미 알았을지도 몰랐다. 나랑 도련님이라니 처음부터 말이 안 되는 일이었지. 집 도면을 보여주며 환하게 웃던 루비의 얼굴이 떠올랐다. 해송은 눈을 감고 애써 그 미소를 지워냈다.

마님이 자리에서 일어나 앉아있는 해송 옆으로 다가왔다. 해송이 축축이 젖은 눈을 들어 마님을 올려다보자 마님은 그대로 몸을 숙여 해송을 꽉 안았다.

"해송아, 네 잘못 아닌 거 알아. 오히려 우리가 미안하지. 근데… 우리는 아직 옛날 사람이라서. 루비가 비슷한 집안의 사람들이랑 만났으면 좋겠어. 다른 사람들한테 여러 말 듣고 살지 않기를 바래."

"……"

"미안해. 해송아, 우리가 진짜 너한테 많이 고마워하는 거 알지. 루비 살려준 것도, 그동안 돌봐준 것도 너무 고마워. 그런데… 그런데 정말 이건 어쩔 수가 없어. 이것만은 안 돼."

해송은 가슴을 찌르는 듯한 통증을 느꼈다. 이 집 어르
신들은 좋은 분들이었다. 다른 집이었다면 아들을 꾀어
냈다며 호통을 치고 그대로 해고되어 쫓겨났을지도 모
를 일이었다. 억울하고 부당해도 그게 현실이었다. 하
지만 이 사실을 잘 알면서도 해송의 마음은 아리기만
했다. 비슷한 집안. 결국 집안이랄 게 없는 자신은 결
코 루비의 짝이 될 수 없는 것이었다. 마님에게서는 전
에 루비가 손에 발라줬던 크림의 향기가 났다. 도련님
의 다정함은 어머니를 닮았구나. 해송은 눈꺼풀을 닫아
남은 눈물을 밀어냈다.

***

해송은 방에 돌아온 즉시 짐을 꾸렸다. 제대로 인사라
도 하고 갈 수 있도록 시간을 더 달라고 하고 싶었지
만 내일부터는 루비가 집에 있기 때문에 몰래 사라지
기가 쉽지 않을 터라 차마 부탁을 할 수가 없었다. 루
비를 마주했을 때 지금의 마음을 숨길 자신이 없으니
어쩌면 제대로 된 인사라는 것 자체가 불가능한 걸지
도 몰랐다. 해송은 자신의 입술을 잘근 깨물었다.

아예 다른 집도 아니고 형제의 집으로 가는 것이니 그렇게 나쁜 상황도 아니었다. 언젠가 도련님이 형님의 집에 방문하게 되면 얼굴을 볼 수 있겠지. 영영 이별하는 것도 아니고 소식을 들을 수 있는 지척으로 가는 거였다. 정말 가족처럼.

해송이 안방을 나서기 전에, 마님은 착잡한 목소리로 말했었다. '너랑 루비는 워낙 어렸을 때부터 함께 지냈으니까 정이 들어서 그래. 너희 나이 때는 그렇게 느낄 수 있어. 그런데 나중에 시간이 지나면 우리가 왜 이랬는지 이해하게 될 거야. 많이도 아니고, 조금만 떨어져 있으면 다 괜찮아질 거야.' 스스로에게 거는 주문 같은 그 말이 해송의 손과 발에 족쇄처럼 채워졌다.

그 말처럼, 도련님은 저를 금방 잊을지도 모른다. 시간이 지나 루영의 집에서 서로를 마주할 때, 루비는 여느 때처럼 선선한 웃음을 지으며 어렵지 않게 인사를 할 수 있을지도 모른다. 그리고 조금 머쓱해하면서 자신의 곁에 있는 사람을 소개할지도 모르지. 해송은 채무자로서 루비를 만나러 왔으면서도 일말의 주저함도 없던 수진을 떠올렸다. 그래, 이게 맞다. 해송은 그저 자신이 제자리로 돌아가는 거라고 생각했다. 자신과 루비의 마음을 생각하면 당장이라도 이 짐가방을 뒤엎고 방바닥에 달라붙어 버티고 싶었지만, 루비에게서 가족과 미래를 빼앗으면서까지 제 옆에 둘 자신은 없었다. 해송은 짐가방 맨 위에 올라간 책을 손가락으로 더듬었다. 당연하게도 루비가 선물해 준 책이었다. 그중 한 장을 뜯어 냈다. 연필로 꾹꾹 눌러 짧은 편지를 쓴 해송은 외투를 입고 짐가방을 챙겨 방을 나섰다. 루비의 방에 들어가 책상 앞에 서서 마지막으로 창밖을 바라보았다. 오늘은 도련님 방 청소를 못했네. 창문을 통해 보이는 나뭇가 지는 낙엽을 모두 떨구고 앙상하게 흔들리고 있었다.

* * *

집으로 돌아오는 길, 잠시 잠들었던 루비는 차가 멈추 는 기척에 눈을 떴다. 태수가 아버지가 앉은 쪽의 문을 여는 동안 루비는 제 손으로 차 문을 열고 나와 비척 비척 대문 안으로 들어갔다. 현장 사람들과 하는 식사 자리에서 술을 몇 잔 받아마셔야 했어서 머리가 어지 러웠다. 평소 술을 즐기지 않는 루비는 술이 들어갔을 때 퍼지는 몽롱한 기운을 싫어했다. 내일 멀쩡히 생활 하려면 꿀물이라도 한 잔 마시고 자야겠군. 갈증이 나 는 목을 긁적이던 루비는 넥타이를 끌러내며 주위를 두리번거렸다. 평소라면 진작에 마중을 나와있을 해송이 보이지 않았다. 어머니와 다른 고용인들은 모두 나와있는데 해송만 없었다. 어디 아픈가? 왠지 모를 찜찜함에 루비는 태도를 숨길 생각도 못하고 곧바로 물었다.

"해송이는 어딨어요?"

돌아오는 대답이 없었다. 루비와 눈이 마주치는 사람마저 하나 없이 순간 정적이 감돌았다. 문득 스치는 불길한 느낌에 루비는 제 어머니에게 성큼성큼 다가갔다.

"어머니, 해송이 어딨어요?"

어머니도 루비의 시선을 피했다. 루비는 뭔가가 단단히 잘못되었다는 것을 깨달았다. 뒤에서 제 아버지가 자신을 부르는 소리를 들었음에도, 루비는 지체 없이 집안으로 뛰어들어갔다. 부엌과 서재, 제 방에도 해송은 없었다. 마지막으로 문을 연 해송의 방에서 이질적일 만큼의 공백이 느껴졌다. 루비는 해송의 수납장을 열었다. 여닫이 장과 서랍이 텅텅 비어있었다. 루비는 방한 구석에 곱게 개어져 있는 이불까지 뒤집어 헤쳤다. 바닥에 무릎을 대고 이불 안에서 뭐라도 찾으려는 것처럼 뒤지는 루비의 손길이 절박했다.

"김루비!"

뒤따라온 루비의 아버지가 크게 소리쳤다. 옆에 선 어머니는 입을 틀어막은 채 가늘게 어깨를 떨고 있었다.

"해송이는 너희 형네 집으로 보냈다. 네가 이제라도 정신 차리지 않으면 다음번에는 아예 우리 집안에서 일하지 못하게 될 거야."

루비가 스르륵 자리에서 일어났다. 당황에 물들었던 루비의 얼굴은 순식간에 성에가 낀 것처럼 차갑게 얼어붙었다. 언제나 무르고 부드러웠던 아들의 눈빛이 이렇게나 벼려질 줄 몰랐던 부모는 루비의 기세에 말을 멈췄다. 루비의 어긋난 초점에는 어렴풋이 광기가 서려있었다. 루비는 지독하게 낮고 무미건조한 목소리로 말했다.

"아버지, 저 해송이 없으면 아무것도 아니에요. 아시잖아요."
"어리석은 소리 하지 말아라."
"두 분 다 사실 알고 계셨잖아요. 저 해송이 아니면 안 돼요. 해송이가 제 짝이에요. 해송이 밖에 없어요."
"동네 창피한 줄 모르고 이 녀석이!"

아버지의 호통에 루비의 눈썹이 일그러졌다. 창피? 자신이 해송을 연모하는 것은 창피가 아니었다. 해송과 자신이 서로 사랑하는 것은 조금도 부끄러울 일이 아니었다.

"뭐가 창피한데요? 해송이 저한테 과분해요. 제가 해송이 넘본 게 욕심이라 창피하시다면 죄송하지만, 그래도 저 해송이 포기 못 합니다."
"쓸데없는 소리 말고 방으로 가거라. 며칠 떨어져서 생각하다 보면 너도 알게 될 거다. 이제 혼처를 찾아봐야 할 놈이 철없이, 원…"

루비는 그대로 서서 아버지를 잠시 노려보다가 불쑥 해송의 방을 나섰다. 복도를 지나 계단을 내려가는데 서둘러 따라온 태수와 최씨가 루비의 양팔을 붙잡았다.

"도련님, 이러시면 안 돼요."
"이거 놔요!"
"죄송해요, 도련님…"

루비가 거칠게 발버둥 쳤다. 힘껏 저항하는 루비의 몸부림에 두 사람이 휘청거렸지만 몸 쓰는 일로 단련된 두 사람의 완력을 이길 수는 없었다. 두 사람은 그대로 루비를 방 안에 밀어 넣고 재빨리 밖에서 잠금 고리를 걸었다. 루비는 이미 닫혀버린 문을 쾅쾅 두드리다 못해 발길질까지 했지만 굳게 잠긴 문은 열릴 기미가 없었다.

갑자기 힘을 썼더니 술기운이 세게 돌았다. 루비는 바닥에 널브러진 채로 팔을 들어 눈을 가렸다. 해송을 향한 자신의 연정을 조금도 들키지 않았을 거라고 믿은 적은 없었다. 하지만 그 사실을 불편해하는 부모님이 먼저 수면 위로 올리지도 않을 거라고 생각했다. 물론 부모님의 인정을 기대한 것도 아니었다. 루비는 자신이 해송을 지킬 수 있는 모든 준비가 끝나면 처음이자 마지막으로 부모님을 설득하고 결과가 어찌 되든 해송을 데리고 나갈 생각이었다. 안일한 생각이었어. 루비는 후회를 깊게 들이마셨다.

오늘 점심에는 해송이가 맘에 든다던 집을 계약했는데… 불과 며칠 차이로 해송을 빼앗겼다. 아침까지만 해도 소복하게 웃던 해송이 혼자 집에서 내쫓긴 거였다. 루비는 해송이 얼마나 겁을 먹었을지, 혼자서 얼마나 수모를 겪었을지 막막했다. 당장 해송이 보고 싶었다. 이렇게 무력하게 제 방에 갇힌 자신이 한심했다. 그래도 루영의 집이라면 해송의 가족인 미진이 있을 테니 좀 나을 것이었다. 루비는 맨바닥에 모로 누워 몸을 웅크렸다. 바닥에서 올라오는 냉기가 매서웠다.

***

루비는 집 안에 갇혔다. 아침부터 문 앞을 가로막은 최씨를 밀어내고 뛰쳐나가려다가 윤씨에 애란까지 매달려 말린 이후로 아버지는 어디서 장정 둘을 데려다 삯을 주고 루비를 지키게 했다. 집 밖을 나서지 못 한 지는 고작 이틀 밖에 되지 않았지만 루비는 억겁의 시간이 지난 것처럼 초조했다. 이런 개벽과도 같은 상황에 해송과 말 한마디는커녕 눈 한 번 맞추지 못했다는 사실이 루비의 가슴팍을 파먹었다.

아무리 엄한 아버지라고 해도 자신을 평생 가둬둘 수는 없을 것이다. 얌전히 기다리다가 아버지의 화가 누그러지고 방심할 때쯤 다른 행동을 할 수도 있을 것이다. 하지만 루비는 도저히 기다릴 수가 없었다. 기다리는 그 시간 동안 해송이 어디론가 사라질까 봐 너무 두려웠고, 당장 손에 잡힐 듯이 눈앞에 맺혔다가 신기루처럼 사라져 버린 해송과의 오붓한 일상이 아깝고 조급해서 견딜 수가 없었다.

결국 루비는, 해송이 없는 집에서 보내는 세 번째 밤에 어둠 속에서 번뜩이던 눈을 부릅뜨고 일어났다. 루비를 지키는 감시원들은 밤에는 대문 앞에서 번갈아 불침번을 섰다. 대문을 지키는 순서가 아닌 감시원은 루비의 방 바로 옆 방에서 문을 열어둔 채 잠에 들었다. 해송이 비운 방이었다. 루비는 감시원이 자고 있는 방과 자신의 방 사이에 놓인 벽에 손바닥을 펼쳐 붙였다. 해송보다 훨씬 커다란 사람이 묵직하게 자고 있는 것을 알고 있는데도 벽은 차갑기 그지없었다. 새털 같은 해송이 자리를 틀고 있을 때면 마냥 포근하고 따뜻하던 벽이었다.

루비는 자신의 옷장에서 옷들을 꺼내 끝단들을 묶어 이었다. 이제 막 겨울의 문턱인데 벌써부터 꺼내놓은 무거운 솜이불은 바느질을 몽땅 뜯어야 이불홑청을 벗길 수 있었기 때문에 그걸 쓰기엔 시간이 부족했다. 창문에서부터 뒷마당 바닥까지의 거리는 그렇게 멀지 않았지만 옷으로 만든 밧줄을 묶어놓은 침대가 창문에서 꽤 멀리 떨어져 있어서 길이가 좀 모자랐다. 침대를 좀 옮겨볼까 했지만 조금의 움직임에도 끌리는 소리가 컸다. 혼자 지내기엔 터무니없이 넓은 방이 허공을 울리며 자신을 비웃는 것 같았다. 루비는 잠시 숨을 죽이고 바깥공기를 살피다가 자신이 입고 있는 셔츠와 바지, 허리띠 하나를 빼고서는 잠옷에서 겉옷까지 가리지 않고 몽땅 밧줄에 엮었다.

온갖 옷가지들이 서로 손을 잡은 밧줄에 의지해 간신히 뒷마당에 발을 디딘 루비는 지체 없이 장독대 항아리를 밟고 담을 넘었다. 담벼락과 이어진 뒷산의 수풀을 헤치면서 부스럭거리는 소리가 났지만 감시원이든 누구든 그저 산짐승이겠거니 넘길 것이었다. 집을 등지고 달리기 시작한 루비는 얇은 셔츠를 뒤흔들며 자신을 베어내는 차가운 바람과 음습한 새벽 숲의 공기에도 주저하지 않았다.

***

해송이 루영의 집으로 보내진 날, 이미 마님에게 이야기를 들은 건지 미진이 대문 밖으로 마중을 나와있었다. 택시기사로부터 해송의 짐을 넘겨받는 미진의 얼굴에는 복잡한 감정이 가득했다. 해송은 왠지 미진의 얼굴을 보기 어려워서 바닥만 보고 걸었다. 해가 저무는 시간에 짐보따리를 들고 있었다고는 해도, 아들의 혼삿길에 걸림돌이 된 고용인에게 택시를 불러주는 일은 흔한 일이 아니었다. 잔뜩 움츠린 어깨로 대문을 넘는 해송에게 루영과 그의 아내는 다른 말 없이, 늦었으니 어서 쉬라며 그저 길 앞으로 부탁한다는 말 뿐이었다. 루비의 집안은 이렇게 모질지 못한 사람들이었다.

너무 갑작스럽게 일이 진행된 바람에 해송이 쓰게 될 방에는 아직 짐이 다 치워지지 않은 상태였다. 창고로 쓰이던 방 한 구석에 잔뜩 웅크리고 앉은 해송은 자신의 팔에 얼굴을 묻고 소리 없이 울었다. 해송을 걱정한 미진이 몇 번이나 방문 앞을 서성인 것을 알았지만 해송은 도저히 고개를 들 수 없었다. 차곡차곡 쌓이다 못해 요 근래 커다랗게 부풀기까지 했던 마음을 비우기에 하룻밤은 턱없이 짧았다.

다음 날, 미진이 오늘은 아무것도 하지 말고 푹 쉬라며 해송을 말렸지만 해송은 누구보다 재게 몸을 움직였다. 아직 일이 채 맡겨지지도 않아서, 자신이 직접 일을 찾아 하는 수밖에 없었다. 그 와중에도 루영을 보기에는 괜히 면목이 없어서 눈에 잘 띄지 않는 곳으로만 숨듯이 돌아다녔다. 그렇게 바쁘게 하루를 보냈어도 밤에 이부자리에 누우면 감정이 곤두서고 자꾸만 숨이 뭉쳤다. 감은 눈앞에 어리광을 부리던 루비의 마지막 모습이 자꾸 어른거려서 그 얼굴을 좀 살펴볼라치면 귓가에 마님의 목소리가 호통처럼 울렸다. '루비가 비슷한 집안의 사람이랑 만났으면 좋겠어. 다른 사람들에게 여러 말 듣고 살지 않기를 바래.'
거의 뜬 눈으로 밤을 지새운 해송은 이번엔 자신의 일이 마무리되자마자 뒷마당에서 장작을 팼다. 평소 장작을 관리하는 덕준이 해송의 팔을 붙잡아가며 말렸지만 그 고집을 꺾을 수는 없었다. 해송은 초겨울에 등이 흠뻑 젖을 정도로 땀을 내고 나서야 도낏자루에서 손을 뗬다. 그러고는 누가 그러라고 한 것도 아닌데 굳이 차가운 물로 몸을 씻고 나서 이불 안에 웅크렸다. 그제야 조금씩 잠이 왔다. 감은 눈 안에 다시 뿌옇게 루비의 얼굴이 차올랐지만 해송은 아직 차가운 두 손으로 눈을 가리고 애써 잠을 청했다.

***

쾅쾅쾅!

거칠게 대문이 흔들리는 소리가 났다. 얕은 잠 속에서 엉겨 붙는 악몽과 사투하던 해송은 헐떡이듯 숨을 넘기며 눈을 떴다. 아침이라기엔 문밖이 푸르스름했다. 고요한 새벽공기를 타고 마당 건너편에서 방문이 열리는 소리가 들렸다. 아마 미진의 남편이나 덕준일 것이었다. 건너편의 발소리가 대문에 닿기 전에, 다시 한번 대문이 크게 흔들렸다. 이번에는 그만큼이나 크게 흔들리는 목소리가 함께 들려왔다.

"해송아, 해송아!"

해송은 자리에서 몸을 일으켜 앉은 그대로 뻣뻣히 굳었다. 자신의 이름을 부르는 저 목소리, 저렇게 숨 가쁜 호흡은 처음 듣는 것이었지만 목소리만은 자신에게 가장 가깝고 익숙하고 당연한 소리였다.

"해송아, 나 왔어…"

마당의 발소리는 다급하게 사랑채로 달려갔다. 워낙에 큰 소리라 루영 도련님도 잠에서 깨셨을 것이고 그럼 금방 나오실 것이었다. 하지만 해송은 그 시간 동안 자신이 어떻게 해야 할지 도저히 알 수 없었다.

"형! 형, 나 루비야. 문 좀 열어줘… 해송아, 해송아!"
"…!"

벌컥 대문이 열리는 소리가 들렸다. 해송은 자신의 방 문 앞에 서서 창호지를 통해 퍼지는 새벽 달빛만을 받고 있었다.

"김루비, 제정신이야? 너 지금…"

루영은 문 밖에 선 루비의 몰골을 보고 말을 멈췄다. 흐트러진 머리에 얇은 옷차림, 양말바람으로 선 발에는 울긋불긋 피가 비치고 있었다. 문 밖에 세워진 차는 없었다. 본가에서 여기까지 걸어오려면 서너 시간은 족히 걸렸을 것이었다. 그것도 이 새벽에? 루영은 아찔해지는 정신을 붙잡았다.

"형… 해송이 여기 있지? 나 시간이 없어. 해송이 데려가야 돼."
"해송이를 왜 데려가. 아버지 말씀 못 들었어? 너 이러면 해송이 여기도 못 있어, 이제."
"상관없어. 어차피 해송이 나랑 갈 거야."
"야. 너 해송이 위해서라도 이러면 안 돼."
"해송이 어딨냐고…"
"너 끝까지 해송이 책임질 수 있어? 변하지 않고 지킬 수 있냐고."
"해송아!"
"하… 어서 차에 시동 걸어요. 이 놈 싣고 아버지 댁으로 갑시다."

루영이 미진의 남편에게 외쳤다. 서로 힘싸움을 하는지 대문에 부딪혀 덜컹이는 소리가 이어졌다. 방 문고리에 손가락을 걸고 있던 헤송은 루영의 질문을 곱씹으며 방문을 열었다. '너 끝까지 책임질 수 있어? 변하지 않고 지킬 수 있냐고.'

"서해송, 들어가 있어!"

방에서 나오는 해송을 보고 미진이 소리쳤다. 해송은 미진에게 고개를 끄덕이고 거침없이 루비에게 다가갔다.

"해송아! 해송아, 괜찮아?"

루비는 루영의 팔에 매달려 해송에게 손을 뻗었다. 지금 막 차오른 건지 커다란 눈에 눈물이 방울방울 맺혔다.

"일단 가자. 필요한 건 내가 다 사 줄 테니 아무것도 챙기지 말고 이대로 일단 가자."
"도련님."
"해송아, 빨리…"
"이제 여기가 제 집이에요."

루비가 해송과 눈을 맞춘 채 움직임을 멈췄다. 닫혔다가 열리는 눈꺼풀에 밀린 눈물이 바닥으로 떨어졌다.

"얼른 집으로 돌아가세요. 어르신들 걱정하시겠어요."
"해송아…"

루비가 루영을 밀어내고 해송 앞으로 다가왔다. 해송의 단호한 말에 루영과 집안사람들은 상황을 살피며 잠시 그대로 물러섰다. 루비는 해송의 두 손을 허겁지겁 붙들었다. 떨리는 손은 축축하고 차가웠다. 해송은 울컥 넘치는 속을 누르려 입술을 깨물었다.

"그게 무슨 말이야. 내가 너를 두고 어딜 가."
"각자 제 자리로… 돌아가야죠."
"네 옆이 내 자리야. 우리가 어떻게 떨어져."
"아니요. 제 자리는 여기에요. 그리고… 우리가 떨어져야 도련님도 그 자리를 제대로 채우죠."
"뭐?"

루비는 믿기지 않는다는 듯이 몸을 굽혀 해송의 얼굴을 들여다봤다. 해송은 차마 루비의 눈을 바라볼 수는 없었지만 애써 꼿꼿이 턱을 들고 있었다.

"도련님도 이제 짝 만나실 때가 됐어요. 루영 도련님이랑 루아 아가씨처럼요."

해송이 루비의 손에서 자신의 손을 빼내려고 했지만 루비는 끈질기게 손가락 끝을 붙잡았다. 루비의 호흡은 이세 거의 흐느끼고 있었다. 해송의 손을 놓친 루비가 다시 손을 뻗었지만, 몸을 뒤로 물리는 해송을 본 덕준이 루비를 막아섰다.

"가자."

길게 한숨을 쉰 루영이 차가 세워진 쪽으로 루비의 팔을 잡아끌었다. 해송은 루비에게서 등을 돌리고 자신이 머무는 방으로 향했다. 돌아선 해송의 목덜미로 루비의 울먹이는 목소리가 쏟아졌다. 자신을 끌어내는 루영에게 저항하면서 겨우겨우 내뱉는 목소리는 애처롭게 떨리고 있었다.

"해송아, 난 한 번도 너 아닌 다른 사람을 생각해 본 적 없어. 나에게 짝은 그냥 너였어. 나한테 이러지 말아라, 제발. 제발, 해송아…"

해송은 등 뒤로 문을 닫았다. 루비의 애원이 자동차 소리와 함께 멀어지고 마당에 다시 적막이 내려앉은 뒤에도 해송은 그대로 서 있었다. 이제 귓가에는 마님의 목소리 대신 루비의 흐느낌이 맴돌았다. 가슴을 저미는 그 울음은 동이 트고 방 안으로 볕이 쏟아질 때까지도 무뎌지지 않았다.

***

무섭도록 평온한 날들이었다. 소동이 있던 밤이 지난 후, 루비가 다시 찾아오는 일은 물론 연락조차도 없었다. 해송은 원래부터 루영의 집에서 일했던 사람처럼 자연스럽게 자리를 채웠다. 루영의 아내를 제외하고서는 원래 해송과 함께 살았던 사람들이니 어색할 것이 없긴 했다.

해송이 매일 밤 자신의 방 안에서 어떤 시간을 보내는지는 아무도 알 수 없었다. 미진과 덕준이 눈빛을 주고받으며 해송에게 말을 걸고, 나들이를 제안해 봐도 해송은 평소처럼 의연한 미소를 지으며 고개를 저을 뿐이었다.

그렇게 아무 일도 없었던 것처럼 시간은 침착하게 흘러갔다. 해송이 점심 설거지를 마치고 부엌을 나서는데 사랑채 마루에서 미진의 목소리가 들렸다. 전화기를 두 손으로 붙잡고 조용한 목소리로 연신 '네, 네.' 하며 대답하는 모습이 꽤 심각해 보였다. 해송은 앞치마에 손의 물기를 닦으며 잠시 그 모습을 바라봤다. 전화를 끊은 미진은 해송을 보고 깊은 한숨을 뱉더니 이내 비장한 얼굴로 해송에게 다가왔다.

"같이 큰 어른 댁에 다녀와야겠다."

해송은 입술을 살짝 벌리고 대답을 망설였다. 어르신 댁에? 루비 도련님이 계신 그곳에? 내가 가도 되나?

"큰 마님께서 너를 꼭 데리고 오라고 하셨어."

미진은 못마땅한 기색을 숨기려고 하지도 않은 채 한숨을 섞어가며 말했다. 해송은 자기도 모르게 퍼지는 떨림을 감추려 턱에 힘을 주었다.

큰 마님이 보낸 차를 타고 루비의 집 대문 앞에 내린 해송은 쭈뼛거리며 미진과 함께 마당으로 발을 디뎠다. 15년을 넘게 산 곳인데 고작 보름 만에 낯설게 느껴지는 감각이 스스로도 놀라웠다. 인생의 대부분을 보낸 곳이지만 결국 주인집에 얹혀사는 것이지 나의 집은 아니었기 때문이겠지. 해송이 씁쓸한 감상을 삼켰다. 마중을 나왔던 최씨는 두 사람을 데리고 2층으로 들어갔다. 루비의 방이 보이는 복도에 들어서기 전, 마지막 계단참에서 미진이 해송의 손목을 붙잡고 가까이 붙어 빠르게 말했다. 난처한 눈빛과는 다르게 목소리는 몹시 단호했다.

"너 가고 루비 도련님이 식사를 안 하신대. 그래서 큰 마님께서 그냥 아드님 밥 먹이려고, 그러려고 너 부르신 거야. 그러니까 다른 생각 말고 고민하지 말고 그저 마님이 바라시는 대로만 하고 나오면 돼, 알겠지? '도련님, 식사하셔야죠.'하고 부탁드리고 식사 좀 거들어 드리고, 응?"

해송은 순간 고개도 끄덕이지 못했다. 도련님이 식사를 안 하셨다고? 마님이 저를 불렀다는 사실에 당황할 틈도 없이 루비에 대한 걱정으로 마음이 울렁거렸다. 루비를 매몰차게 내쳤던 것이 벌써 열흘도 훨씬 더 전의 일인데 그럼 그동안 식사를 제대로 못 하셨다는 건가? 루비의 집으로 오는 동안, 택시 안에서 미진은 어떠한 설명도 없었다. 이렇게 마지막의 마지막까지 미루다 전한 소식은 해송의 심장을 바닥까지 떨어뜨리기 충분했다. 미진은 그저 해송에게 일말의 고민할 시간도 주고 싶지 않았던 것이겠지만 갑작스럽게 비보를 받게 된 해송은 상황을 제대로 받아들이기 힘들어 삐그덕거렸다.

루비의 방에 거의 다다랐을 때, 앞서가던 최씨가 갑자기 걸음을 멈췄다. 마음이 조급한 해송은 당장이라도 최씨를 앞질러 루비의 방으로 뛰쳐들어가고 싶은 충동이 일었다. 하지만 최씨는 그런 해송의 마음을 아는지 모르는지 느긋하게 다른 방문에 대고 마님을 불렀다. 해송이 지내던 방이었다.

들어오라는 말을 듣고 문을 열자 바닥에 깔린 요 위에 비스듬히 몸을 일으킨 루비의 어머니가 보였다. 해송은 차마 그 얼굴을 보지 못하고 고개만 푹 숙여 인사했다. 루비의 어머니는 어렴풋이 웃으며 해송에게 가까이 오라고 손짓했다. 최씨와 미진은 그대로 문 앞에 서 있었다. 해송이 옆으로 다가가 앉자 마님이 작은 목소리로 말했다.

"그렇게 보내놓고 갑자기 또 이렇게 불러서 미안해."
"아니에요, 마님."
"루비가… 밥을 안 먹어. 그냥 아무것도 안 해. 계속 짚단처럼 누워있거나 아니면 마당 한 구석에 웅크려 있어. 이제는 책도 안 읽어."
"……"
"어디가 아픈가 싶어 의사를 불러도 진료도 안 받겠대. 그냥 다 안 하겠대."

해송은 뭐라 대답할 말을 찾지 못해서 그냥 가만히 듣고 있었다. 아니, 사실 해송은 대답을 찾을 여유가 없었다. 어린 시절부터 몸이 약해 늘 보약을 챙겨 먹고 작은 고뿔 하나도 조심하던 도련님인데, 마지막으로 본 날 생채기가 잔뜩 났던 발은 잘 나았을지 그 걱정만으로 지난 하루하루를 보내왔는데, 이렇게나 비교할 수 없을 만큼 심각한 상황이었다니.

"그러니까 해송아, 네가 루비 좀 달래주면 안 될까? 정신 차리라고, 밥도 먹고 책도 읽고 산책도 하고 글도 쓰면서, 그냥 전처럼 잘 지내라고 타일러 줄 수 있을까? 루비 쟤가 저렇게 고집이 쇠심줄 같아도 해송이 네 말은 잘 들었잖아, 응?"

"…저는…"

해송은 목에 뭔가가 걸린 것처럼 말을 멈췄다. 내가 직접 도련님에게 나를 잊고 멀쩡하게 잘 사시라고, 우리의 일들은 모두 꿈처럼 없던 일로 지워버리고 감쪽같이 전처럼 지내시라고 말해야 하는 건가? 해송은 핑도는 눈물을 참으려 잠시 목을 가다듬었다. 해송의 침묵에 안달이 난 최씨가 불쑥 끼어들어 말했다.

"해송아, 부탁 좀 하자. 오죽하면 마님이 이렇게 너를 부르셨겠니? 어르신은 다 필요 없다고 그냥 놔두라고 호통치시지, 도련님은 저렇게 고집부리시지, 가운데서 마님만 병나게 생겼다. 어르신 오시기 전에 얼른 도련님 밥 한 술이라도 좀 뜨게 해 주라. 따지고 보면 도련님 저렇게 되신 거 너 때문인 건데…"

"아저씨!"

미진이 팩 하고 최씨를 쏘아보았다. 도련님이 저렇게

괴로우신 게 나 때문이라고? 해송은 울컥 치미는 억울함에 무릎 위에 올려놓았던 자신의 손을 꽉 쥐었다. 아니다. 도련님이 저렇게 스스로를 궁지로 내몰게 된 것은 나 때문이 아니라, 우리를 갈라놓은 이 상황들 때문이었다. 해송의 마음속에는 걱정과 억울함을 비롯한 수많은 감정이 소용돌이쳤다. 그중에는 루비가 자신을 연모하는 마음 때문에 고통스러워한다는 것에 대한 약간의 희열도 있었다. 그리고 그 희열을 느끼는 자신에 대한 섬찟함과 끔찍함까지. 해송은 더 길게 생각하지 않고 고개를 끄덕였다. 부탁이고 걱정이고 다 떠나서 루비가 너무 보고 싶었다.

푸석한 얼굴로 앉아있던 루비의 어머니는 해송의 대답에 벌떡 자리에서 일어나 루비의 방으로 향했다. 해송도 일어나 그 뒤를 따랐다.

"루비야, 해송이 왔어. 일어나 봐, 응? 이제 해송이 왔으니까 밥 좀 먹어."

루비의 어머니가 문간에서 말했다. 루비는 침대 위에 덩그러니 누워있었다. 근 보름 만에 본 루비의 얼굴은 말할 수 없을 정도로 수척했다. 생기 있고 뽀얗던 피부는 창백하고 파리했고, 야윈 얼굴 때문인지 굽이치는 머리카락도 한참 더 길어 보였다. 루비는 다른 곳은 미동도 없이 스르륵 눈꺼풀만 들어 올렸다. 해송을 발견한 루비가 얼굴에 미소를 띠었다. 해송은 그 웃음이 몹시 아프게 보인다고 생각했다.

"해송아."
"…도련님."
"저 이제 해송이랑 이야기하고 싶어요."

루비가 느리게 눈을 감았다가 떴다. 루비의 어머니와 미진은 걱정스러운 얼굴로 해송을 바라봤다. 최씨는 주춤대는 두 사람을 데리고 재빨리 방에서 멀어졌다. 해송은 방으로 들어와 문을 닫았다.

"서리태가 너 기다렸어."
"…네."

해송은 서리태의 새카맣고 윤기 나는 털을 떠올렸다. 서리태에 대해서는 애란과 윤씨 아주머니가 잘 챙겨줄 거라고 생각해 크게 걱정하지 않았었다. 해송은 그저, 그저 루비만을 걱정했다.

"끈질기게 매달려서 싫지, 미안해."

루비는 미안하다고 말하면서 다시 한번 웃었다. 고작

두 마디 사이에 그 미소는 예전의 밝은 미소와 한결 가까워져 있었다.

"막무가내로 찾아가고 이렇게 막 죽겠다고 난리 치고. 해송이 무서웠을 텐데 진짜 미안."
"…미안하면 안 그러시면 되잖아요. 애도 아니고 왜 식사로 고집을 부리세요."
"그러게. 근데 얘기할 방법이 없어서 그랬어."
"……"
"너랑도 그렇고 아버지, 어머니랑도."

루비가 입을 가리고 잔기침을 했다. 해송은 자기도 모르게 성큼 다가가 협탁 위의 물 잔을 들었다.

"괜찮아, 고마워."
"일단 식사부터 하세요."
"먼저 얘기부터 하고."
"……"
"애처럼 이런 걸로 떼를 써야 내 말을 들어주더라고, 우리 부모님은. 그러다 보니 해송이랑도 이렇게 억지로 얘기하게 됐네. 아쉽다. 아직 나는 신사는 못 되나 봐."

해송은 버석한 입술로 말하는 루비를 바라보며 계속 물 잔을 들고 있었다. 루비는 해송의 손에서 물 잔을 받아 들고 살짝 입술을 축인 다음 다시 협탁에 내려놓았다.

"근데 우리 진짜 아무 얘기도 못 했잖아. 해송이 네가
 정말 나를 떠날…건지. 내가 싫은 건지. 얘기 안 해줬
 잖아."
"……"
"그냥 사라져 놓고, 그래놓고 너는 또 전이랑 똑같은
 눈으로 날 보고 있잖아."

해송은 곧바로 루비와 맞추고 있는 시선을 거두고 싶
었지만 마음처럼 되지 않았다. 마치 루비의 눈빛에 단
단히 매인 것같이 그대로 시선을 엮고 있었다.

"여전히 날 사랑한다고 믿게 하잖아."

해송은 얼른 눈을 깜박였다. 하지만 아무리 빠르게 눈
꺼풀을 움직여도 차오르는 눈물이 더 빨랐다.

"…그래도 이건 잘못이니까요."
"너랑 내가 서로 좋아하는 게?"
"제가 도련님 앞길을 막는 게요."

자존심이 강한 해송은 자신의 말에 온통 할퀴어졌다.

하지만 루비를 위한 일이라면 이 정도는 감수할 수 있었다. 루비는 눈살을 찌푸리며 깊게 눈을 감았다가 다시 입을 열었다. 뻣뻣하게 힘이 들어갔던 턱을 천천히 움직이면서 몹시도 부드럽고 상냥한 음성을 냈다.

"해송아. 너도 알지, 나 겁보인 거. 부모님이 하지 말라고 하시는 건 무서워서 할 엄두도 못 내는 새 가슴이다. 내가."

그건 거짓말이었다. 도련님은 그 커다란 눈을 활짝 열고 다락방 구석 어둠을 응시하면서도 흔들림이 없는 사람이었다.

"내 아무리 너를 연모한다 해도 이게 정말 잘못이라면 그냥 비겁하게 어영부영 망설이고 있었겠지. 근데 너도 알지 않니? 너는 아무 부족함도 없어. 만약 누군가 너를 트집 잡는다면 그건 다 허영심 때문이야."
"어르신과 마님은 현명하신 분이에요. 도련님이랑 저는 살아온 삶이 너무 다른 걸요. 지금은 어려서 모르지만 나중에 그 차이 때문에 힘들어진다면요?"
"내 삶을 너보다 잘 아는 사람이 어디 있다고? 우리만큼 서로의 평생을 아는 사이가 어딨어, 우리는 늘 함께 지냈는데."

침대 머리판에 기대 있던 루비는 몸을 바로 세워 해송 쪽으로 기울였다. 거리가 좁아진 만큼 루비의 맑은 눈이 잘 보였다. 루비는 해송의 치마폭에 가까이 손가락을 뻗어놓고 속삭이듯 말했다.

"내가 너의 도련님이라서 그래? 그럼 이제부터 네가 나의 아가씨가 돼. 네가 그랬던 것처럼, 내가 널 보살펴줄게."

순간 해송은 루비와 처음으로 입 맞췄던 날을 떠올렸다. 자신과 발을 맞춰 걷고, 좋은 곳에 데려가서 식사를 대접하고, 앉는 곳에 담요를 깔아주었던 루비의 모습을.

"그냥 제가 도련님 가까이에 있어서 정이 든 거라면요? 제가 아니어도 되는 건데 도련님이…"
"너는 그래?"

루비가 해송의 말을 자르며 물었다. 루비의 태도가 굉장히 무구해서 해송은 그대로 말끝을 흐렸다.

"해송이 니는… 어렸을 때부터 계속 옆에 있던 사람이 나라서 내가 좋은 거야?"

해송은 바로 대답할 수가 없었다. 처음부터 도련님을

사모한 것은 아니었지만, 이렇게 마음이 커진 게 그저 함께 지내왔기 때문은 분명 아닐 것이다. 하지만 비교 대상이 없기 때문에 해송은 무엇도 확신할 수 없었다.

"근데 사실 그래도 괜찮아. 그냥 나 좋아하기만 해 줘."

도련님은 또 속없이 웃었다. 루비가 큰 눈을 가늘게 접으면서 활짝 웃는 얼굴을 볼 때면 해송은 이유 모르게 가슴이 아렸다.

"아무튼 난 그런 거 아니야. 어린 시절부터 자주 보던 어떤 동무도, 우리 집에서 일하는 그 누구한테도 이런 마음 비슷한 것도 느껴본 적이 없어. 오로지 너한테만, 해송이 너한테만 품은 마음이다."

루비의 말은 해송의 마음에 간신히 걸어놓은 자물쇠를 흔들었다. 해송은 그 자물쇠의 열쇠를 이미 손에 쥐고 있었다. 다만 그 열쇠를 꽂고 돌릴 용기가 없을 뿐이었다. 진심을 말하고 있는 루비를 보며, 해송은 루영의 질문을 떠올렸다. '끝까지 책임질 수 있어? 변하지 않고 지킬 수 있냐고.' 루비의 마음이 자신에게 너무 과분하고 선물 같아서일까? 해송은 루비에게 향하려는 자신의 발목을 붙잡는 불안을 내려다보았다.

"루비야."

그때 밖에서 마님의 목소리가 들렸다. 루비와 눈을 맞춘 채 짧은 생각에 빠졌던 해송은 흠칫 어깨를 떨며 놀랐다.

"박 선생님 오셨어. 들어갈게."

열리는 문 밖으로 왕진 가방을 든 의사가 보였다. 루비의 어머니는 해송에게 무언의 눈빛을 보냈다. 해송은 눈치껏 루비에게 말했다.

"오늘은 진료 꼭 받으세요. 밥상 차려올게요."

루비는 뭔가를 말하려는 것처럼 입술을 열었다가 이내 다시 닫고 고개를 끄덕였다. 박 선생의 손길에 따라 순순히 팔을 내미는 루비를 확인한 해송이 방을 빠져나와 부엌으로 향했다.

밥상은 이미 제대로 차려져 있었다. 해송을 발견한 윤씨는 말없이 해송을 안고 등을 쓸어주었다. 아마도 어머니의 품은 이런 느낌이겠지. 잠시동안이었지만 해송은 윤씨의 어깨에 볼을 기대고 순간을 만끽했다. 애란이 보이지 않아 물으니 애란은 마님의 심부름으로 장에 갔다고 했다. 해송은 아쉬움을 뒤로하고 뒷마당 장독대로 향했다. 딱 서리태가 낮잠을 잘 시간이었다.

해송의 예상대로 서리태는 장독 위에서 볕을 받고 있었다. 해송이 뒷마당에 들어서자 바닥으로 훌쩍 뛰어내려와 해송의 다리에 자신의 머리와 몸을 비볐다. 해송은 늘 그랬던 것처럼 서리태의 목과 등을 긁어주었다.

"잘 있었어?"

야옹- 서리태가 대답하듯이 울었다. 해송은 쿡쿡 웃으며 서리태와 장난을 쳤다. 꼭 평화롭던 예전으로 돌아간 것 같았다.

"나 기다렸다며? 나도 너 보고 싶었어."

바닥에 구르며 해송의 쓰다듬을 받던 서리태는 해송의 말을 알아듣기라도 한 것처럼 벌떡 일어나 해송을 쳐다봤다. 그렇게 잠깐동안 눈을 맞추고 있더니 금세 또다시 장독대 쪽으로 갔다. 다만 이번에는 장독이 아닌 그 옆의 종이 더미 위로 올랐다. 폐지를 모아 놓은 건가? 전에는 보지 못했던 것이라 문득 궁금한 생각이 들어 그쪽으로 다가갔다. 자세히 살펴보니 그것은 신문을 모아놓은 더미였다. 해송은 다시 서리태를 쓰다듬으며 무심코 접힌 신문을 내려다봤다. 그리고 발견했다.

익숙하지는 않지만 결코 낯설 수 없는, 자신의 마음에 깊게 새겨진 단어들을.

「바다 소나무 – 홍옥 作」

야옹– 서리태가 신문 더미에서 내려와 뒷마당의 정원 나무 사이로 모습을 감췄다. 해송은 신문들을 펼쳐보았다. 일주일 씩 간격을 둔 신문에는 연재소설란이 있었다. 자신의 이름과 같은 제목의 소설은, 붉은 보석과 같은 이름의 작가가 쓴 그 글은 해송의 발목을 붙잡고 있던 불안을 산산이 부숴 끊어냈다. 단순히 은애하는 마음이라고 생각했던 루비의 진심이 얼마나 깊고 다채롭고 확실하고도 혼란한지 매 문장에 맺혀있었다. 해송은 두 손 가득 신문을 움켜쥔 채 숨을 뱉었다. 해송의 손 안에 있던 열쇠가 자물쇠를 열었다. 더 이상 망설임은 없었다.

***

계단을 내려와 집 밖으로 나가는 의사를 본 해송이 밥

상을 들고 부엌을 나섰다. 소화가 쉽도록 밥 대신 잣죽을 쑤어 올린 차림이었지만 조금이라도 더 먹이고 싶은 마님의 마음이 담긴 건지 곱게 다져 얇게 부친 너비아니까지 함께 올라가 있었다. 똑똑. 문을 두드린 해송은 안에서 루비의 대답이 들리자 곧바로 문을 열었다. 이제는 더 이상 자신이 누군지 말할 필요가 없는 것처럼. 루비 역시 대꾸 없이 열리는 문에 놀라지 않았다. 루비는 침대에서 내려와 옷장 앞에 서서 머리를 빗고 있었는데 이불 밖으로 나온 몸을 보니 야윈 게 더 실감이 났다.

"이리 줘, 해송아."

루비가 뼈가 툭툭 불거진 손을 뻗어 밥상을 받아주려 했지만 해송은 끝까지 자신의 힘으로 상을 내렸다. 자리에 앉은 루비가 해송의 눈치를 보며 잣죽을 반 숟가락 떴다. 큰 눈을 굴리며 눈치를 살피는 모습이 애틋하고 귀엽고 안쓰러웠다. 루비는 숟가락을 입으로 가져가지도 않고 말했다.

"해송이는?"
"저는 먹고 왔어요."

해송이 너비아니를 젓가락으로 잘게 찢어 숟가락 위에

고명처럼 아주 조금 올렸다. 루비는 잠시 멈칫거렸다가 해송의 한 번 바라보고 식사를 시작했다. 느릿느릿 잣죽을 비우는 루비를 보며 해송은 아까 신문에서 보았던 소설의 글귀들을 떠올렸다.

「……나조차도 막막할 정도로 광활한 바다가 일렁일 때, 그 파도가 닿아 부서지는 곳에는 항상 소나무가 서 있다. 소나무는 나의 넘치는 마음의 종착지이자 목적지. 철썩철썩 부딪히는 파도처럼 마냥 밀려간다.……」

해송은 루비의 모습을 가만히 바라보았다. 잠옷 대신 입은 얇은 셔츠의 크기가 좀 큰지 루비의 목이 훤히 드러나 있었다. 생기가 가시고 버석해졌지만 여전히 우유처럼 흰 피부가 목선을 따라 흘렀다.

「……나는 시간의 도움을 받아 소나무에게로 한 걸음 한 걸음씩 걸어간다. 수행자의 걸음처럼 하루하루를 쌓는다. 소나무는 그 모든 하루마다 늘 푸르다. 나의 걸음에도 푸른 향기가 밴다.……」

해송은 빈듯한 루비의 손목을 따라 시선을 옮겼다. 조금 가늘어졌다고 해도 뼈대는 숨겨지지 않으니 손목뼈가 드러나 튀어나와 있었다. 해송은 그 굵직함마저 몹시 청순하다고 생각했다.

「……소금기가 가득한 바다 바람 한가운데 서서도 소나무는 흔들림이 없다. 거친 바람이 매서워 걱정이 된 나는 소나무의 기둥을 받치고 선다. 하지만 결국 소나무에 기댄 모양이 되고 만다. 나는 굳게 뿌리내릴 수 없는 나의 나약함을 견디지 못하고 슬피 운다……」

무겁게 내려온 앞머리 아래로 루비의 눈이 윤기 나게 빛났다. 모든 게 건조하게 말라버린 가운데 눈만은 맑게 찰랑였다.

해송은 루비의 진심이 소설의 문장들을 타고 자신의 마음에 고목처럼 깊게 뿌리내리는 것을 느꼈다. 그 뿌리는 기다렸다는 듯이 순식간에 해송의 전부에 얽혔다. 뿌리를 걷어내려면 흙을 모두 부수고 파내야 할 만큼. 이제는 어쩔 도리가 없다. 해송은 체념하며 루비의 감정에 믿음을 걸었다. 손바닥 뒤집듯이 쉽게 바뀌는 것이 사람 마음이라고 해도, 그 확신할 수 없는 한 치 앞이 두렵더라도 당장의 루비를 갖고 싶었다. 자신을 향한 연정을 구절마다 그윽하게 새겨놓은 저 사람을 품지 않을 수 없었고 자신을 그리느라 모든 일상을 포기한 저 사람을 사랑하지 않을 수 없었다.

눈을 깜박이는 짧은 찰나마다 해송이 사모해 온 루비의

모습이 지나갔다. 동그란 볼이 씰룩 올라갈 만큼 환하게 웃던 작은 도련님. 꾸벅꾸벅 졸다가 자신의 품으로 떨어지곤 했던 도련님과 맛있는 건 항상 자신의 입에 먼저 넣어주던 도련님. 평소에는 덤벙대다가도 책을 읽거나 글을 쓸 때면 누구보다도 침착해지던 우리 도련님. 늘 새로운 것을 알려주고 책을 골라주고 많은 것을 이야기해 주던 다정한 도련님. 머리카락을 쓰다듬고 손가락을 엮고 입술을 맞추던 루비 도련님. 나로 인해 웃음 짓고 눈물짓던 내 도련님. 나의 도련님. 나의 루비. 해송은 루비를 놓을 수 없었다. 놓지 않을 것이었다. 해송은 묵직해진 자신의 확신만큼이나 무겁게 결심했다.

끼니를 거른 지가 한참이라 몹시 허기졌을 텐데도 루비는 그릇이 비워지는 게 아쉽다는 듯이 머뭇거렸다. 식사를 거의 마칠 무렵, 미진이 루비의 방문을 두드리고 살짝 연 문틈으로 말했다.

"해송아, 도련님 식사 마치셨으면 얼른 출발하자. 곧 어르신 오실 시간이야."
"응."
"…아, 아직 다 못 먹었어."

루비가 다급하게 말했다. 방문은 이미 닫힌 후였다.

루비가 숟가락을 휘젓자 다 식어 걸쭉해진 잣죽이 허망하게 묻어났다. 해송은 젓가락을 내려놓고 루비의 손에서 숟가락을 가져왔다. 해송이 남은 잣죽을 싹싹 긁어 한 숟가락에 모두 담았다. 루비의 눈에 옅은 원망이 담겼다. 해송은 개의치 않고 숟가락을 루비의 입술 앞에 내밀었다. 루비가 입술을 열지 않자 해송이 먼저 입을 열었다.

"도련님."
"……"
"걱정스러운 일 있으세요?"
"어?"
"아니면… 제가 이제 집에 없어서 쓸쓸할까 봐 그러세요?"

루비가 잔뜩 혼란스러운 눈을 하고는 흐릿하게 웃었다. 이미 담담하게 웃고 있는 해송의 얼굴을 따른 것이었다. 해송이 숟가락을 루비의 입술에 좀 더 가까이 가져갔다. 루비는 홀린 듯이 입을 열어 죽을 받아먹었다. 상 위로 숟가락을 내려놓는 소리가 경쾌하게 울렸다. 해송이 손가락을 뻗어 루비의 입가를 살짝 닦아주며 말했다.

"그래요. 그렇게 저를 그리워하는 것 말고는 아무 걱정도

하지 마세요."

해송이 손을 옮겨 루비의 볼을 쓰다듬었다. 루비는 자신의 손을 들어 해송의 손등을 덮었다. 생생히 느껴지는 촉감에 감격한 루비가 목울대를 떨었다. 낯설지 않은 저 말이 해송의 목소리로 만들어지는 때가 있을 거라고는 생각하지 못했다. 루비는 뜨끈히 차오르는 눈물을 꿀꺽 삼켰다. 해송은 몸을 기울여 루비의 귓가에 입술을 가까이 가져댔다. 다시 말을 잇는 해송의 목소리는 한껏 작아져 거의 속삭이고 있었다.

"기다리고 계세요. 다 잘 될 거예요."

해송이 그대로 루비의 볼에 입 맞추고 자리에서 일어났다. 그리고는 루비가 뭐라 대답하기도 전에 밥상을 들고 방을 나섰다. 루비는 멍하니 방문을 바라보며 넋나간 사람처럼 자신의 볼을 매만졌다. 거짓이라고 믿고 싶었던 지난 보름보다도 더 실감이 나지 않는 순간이었다.

＊＊＊

넥타이 매듭을 엮던 루비는 한숨을 뱉으며 두 손을 떨어뜨리고 창밖으로 시선을 던졌다. 눈꽃이 맺힌 앙상한 나뭇가지 위로 뉘엿뉘엿 지는 해가 노을빛을 비쳤다. 해송에게 기다리라는 말을 들은 뒤 벌써 세 번째 보름달을 앞두고 있었다. 그건 해송을 마지막으로 본 지도 두 달이 넘었다는 말이었다. 루비는 다시 한번 길게 숨을 내쉬며 허리춤에 두 손을 올렸다. 해송을 믿기에 그당부대로 얌전히 기다리고는 있지만 보고 싶은 마음은 어쩔 도리가 없었다. 겨울이 깊어질수록 루비의 마음에도 불안이 한기처럼 퍼졌다. 그럴 때마다 루비는 눈을 감고 해송의 마지막 말을 속으로 되뇌었다. 다 잘 될 거예요. 다 잘 될 거예요.

하지만 오늘은 그 주문마저도 힘을 쓰지 못했다. 벗어날 수 없이 반드시 가야만 하는 식사 자리가 지금 이 순간 가장 곤란하고 가서는 안 되는 자리였기 때문이다. 루비는 자신의 손으로 직접 매고 있는 넥타이가 꼭 포승줄처럼 느껴졌다. 이제 곧 나는 아버지의 차에 실려 끌려가겠지. 셔츠 깃을 내리는 루비의 미간은 펴질 줄을 몰랐다.

며칠 전, 아버지는 김 원장과 그의 딸 김수진까지 함께 하는 저녁 식사 일정을 통보했다. 누가 봐도 어떠한 목적이 있는 자리였다. 루비는 두말할 것 없이 단칼에 거절했지만 아버지가 연달아 내미는 패에 할 말을 잃었다. '이번 공사를 시작할 때 사무소 대표로 얼굴을 비춘 것이 너였으니 당연히 네가 참석해야 한다.'는 말에는 언제나처럼 형에게 떠넘기는 무책임한 사람이 되겠다고 버텼지만, '그 형은 네가 새벽에 크게 놀라게 했던 제 아내를 돌보느라 나올 수 없다.'는 말에는 입을 다물 수밖에 없었다. 저도 미쳐서 행한 일이고 지금도 그 행동에 후회는 없다지만 그래도 항상 안정을 취해야 할 산모인 형수에게는 미안한 마음이 컸다.

아버지는 사업상의 일로 갖는 식사 자리를 왜 그렇게 유난스럽게 생각하냐며 오히려 루비를 과민한 사람 취급했다. 루비가 아무리 사업에 대해 모른다지만 이 저녁 식사가 굳이 필요하지 않다는 것쯤은 알 수 있었다. 루비는 그렇게 속이 훤히 들여다보이는 아버지가 짠판에 끌려들어 가는 중이었다. 차라리 김수진 선생한테 도움을 청해볼까? 그 사람도 나와 자꾸 이렇게 엮이는 게 흔쾌하지는 않을 텐데. 루비는 고민을 이어가며 겉옷을 걸쳤다.

루비가 마당을 지나 대문 앞에 세워진 차에 올라탔다. 아버지가 내려오기를 기다리면서 지끈거리는 관자놀이를 꾹꾹 눌렀다. 자동차의 유리창을 닦으며 도련님의 눈치를 살피던 태수는 자전거 바퀴가 흙길을 구르는 소리에 길이 난 쪽을 돌아봤다.

옥죄는 느낌에 셔츠 깃과 목 사이로 손가락을 넣어 당겨보던 루비는 차창을 살짝 두드리는 소리에 고개를 돌렸다. 태수가 운전석 문을 열고 몸을 안쪽으로 숙이며 말했다.

"도련님, 도련님 앞으로 편지가 왔는데요. 방에 올려둘까요?"
"아… 이리 줘."

출판사에서 보낸 건가? 받는 사람이 바로 앞에 있는데 굳이 번거로운 일을 시킬 필요가 없다고 생각한 루비가 손을 뻗어 태수에게서 편지를 건네받았다. 그리고 발신인을 확인하고는 인상을 찌푸렸다.

'홍옥'

발신인 자리에는 집에는 비밀로 하고 있는 제 필명이 쓰여 있었다. 분명 집으로 편지를 보낼 때는 절대로 필명을 써서는 안 된다고 당부했는데. 게다가 수신인도 아닌 발신인 자리라니. 어처구니없는 실수에 쯧, 하고 혀를 차며 누가 볼 새라 편지를 얼른 겉옷 안주머니에 넣었다. 태수는 못마땅한 기색이 역력한 도련님의 얼굴을 보고 조용히 다시 운전석 문을 닫았다. 어떤 편지인지는 몰라도 섣불리 말을 옮겨서는 안 될 것 같다고 생각했다.

어둠이 내리고, 루비는 고급식당의 개별실에서 아버지의 옆자리에 앉아 김 원장의 사사로운 질문을 받으며 곤란과 불편을 숨기지 못하고 있었다. 아직 수진은 도착하지 않은 상황이었다. 루비는 차라리 저 문이 영영 열리지 않기를 바랐다. 하지만 야속하게도 얼마 지나지 않아 문밖에서 종업원이 방을 안내하는 소리가 들렸다. 종업원의 기척과 함께 문이 열리고, 들어오는 사람을 확인한 루비는 이내 환히 웃고 말았다. 평소답지 않게 쭈뼛대며 방에 들어선 사람은 김수진이 아닌 그의 오라비 김연웅이었다.

"안녕하십니까. 늦어서 죄송합니다. 누이가 몸이 좋지 않아 제가 대신 오게 됐습니다. 수진이도 죄송하다는 말씀 꼭 좀 전해달라고 몇 번이나 부탁했습니다."

연웅은 밋쩍이하며 루비의 맞은편에 앉았다. 약고 경망스러운 사람이기는 해도 때로는 그 가벼움이 편안해 종종 식사를 하기도 했는데, 오늘처럼 이렇게 반가운 때는 없었다. 루비는 뻣뻣하게 군 게 언제냐는 듯 연웅을 반겼다. 영문을 모르는 연웅과 루비의 웃음소리가 방을 채웠다. 두 명의 어르신은 식사 내내 별말이 없었다.

집으로 돌아오는 길, 태수는 긴장이 역력한 얼굴로 정신을 바짝 세운 채 운전에 몰두했다. 가는 길에는 도련님의 심기가 불편해 보였는데 지금은 어르신의 기운이 얼음장 같았다. 점점 더 안 좋아지는군. 태수의 불안한 속도 모른 채 루비는 무릎 위에 올려놓은 손가락을 까딱거리며 느긋하게 기대앉아있었다. 일단 한 고비는 넘었다. 안도하는 마음속에서 그리움이 피어났다. 해송이는 지금 무엇을 하고 있을까? 해송을 향한 것이라면 기다림 쯤이야 얼마든 견뎌낼 수 있었지만 보고 싶은 마음은 하루가 다르게 애달파졌다. 작은 소식이라도 들을 수 있다면 좋을 텐데. 형에게 전화를 걸어 물어도 해송의 안부를 들을 수는 없었다. 대문 앞에 얌전히 선 차에서 내리면서, 루비는 숨을 깊게 들이마셨다. 겨울의 차가운 바람이 폐부를 채웠다.

다음날 아침, 루비는 마당의 연못 근처에서 멍하니 돌계단을 내려다보고 있었다. 루비의 어머니는 어제 일로 기분이 좋지 않은 남편의 마음을 풀어줄 겸 함께 외출을 한 터라 집안이 조용했다. 고요한 중에 루비가 발

끝으로 돌계단 구석을 툭툭 차는 소리가 울렸다. 해송이가 그때 그 경단을 여기에 처박아버렸었지. 루비는 바보같이 아무것도 몰랐던 자신이 가져온 경단을 야무진 동작으로 걷어차버린 어린 해송을 떠올리며 작게 웃었다. 그때부터 연심을 품게 된 걸까? 아니다. 더 먼저였다. 루비는 해송을 처음 본 순간을 생생히 기억하고 있었다. 그 맑으면서도 차가운, 둥그면서도 뾰족한, 다정하면서도 단호한 구슬 같던 눈망울을. 루비는 해송이 너무나도 그리웠다. 처음 그 눈을 마주한 이래로 이렇게 오래 떨어져 본 적은 없었다. 해송이 자신을 떠날지도 모른다는 생각 속에 견뎌야 했던 그 보름만큼 지옥 같지는 않더라도, 해송이 없는 집에서 기다리는 날들은 시리도록 괴로웠다. 멀리서 해송이 오가는 모습이라도 볼까 싶었지만 괜히 일을 그르칠까 싶어 얌전히 자신의 일을 하며 부모님의 시야 안에 머물렀다. 무엇을 어떻게 하려는 건지는 몰라도 어쨌든 해송이 준비가 되면 자신을 부를 것이었다. 루비는 해송을 믿었다. 그게 어떤 해결이나 방법에 대한 준비가 아닐지라도, 그저 마음의 준비뿐일지라도, 루비는 해송의 결단과 시간을 믿고 존중했다.

그렇게 생각에 빠져있는 루비의 귓가에 전화벨 소리가 들렸다. 적막한 집안에 울리는 소리는 유독 요란했다. 창문을 통해 애란이 전화를 받는 소리가 샜다. 루비가 다시 생각에 빠지기도 전에 마당으로 뛰어나온 애란이 루비를 불렀다.

"도련님, 작은 마님이 전화 주셨어요."

뜻밖의 호출이었다. 형수님이 나한테 전화하실 일이 있나? 아니면 부모님께 전하실 말씀이 있는 건가? 하긴 워낙 친절한 분이시니 모자란 시동생의 안부를 물어주실 수도 있겠지. 얼떨결에 걸음을 옮긴 루비는 맥없는 추측을 하며 전화를 받았다.

"네. 형수님."
[도련님, 잘 지내시죠?]
"예. 몸은 좀 어떠세요."
[저야 뭐 항상 건강하죠.]

수화기를 타고 루영의 아내가 웃는 소리가 넘어왔다. 루비는 왠지 멋쩍어서 자신의 이마를 쓱쓱 문질렀다.

[어제 사무소 일 때문에 식사 자리 가지셨다고 들어서요. 저 아니었음 저희 남편이 갔을 텐데, 감사해요. 도련님.]
"별말씀을요. 이런 거라도 도와야죠."

웃음으로 대꾸하던 루영의 아내는 뭔가 머뭇거리며 말을 꺼냈다.

[그… 도련님이 그런 자리를 썩 좋아하시는 건 아니잖아요.]
"네, 뭐. 괜찮습니다."
[…어떠셨어요?]

조심스러운 형수의 태도에 루비도 의아한 마음이 들었다. 형 대신 내가 힘들었을까 봐 걱정하시는 건가? 어차피 자신이 갔어야 하는 자리였기 때문에 형이나 형수가 걱정할 필요는 없었다. 루비는 적당히 솔직하게 대답했다.

"마침 김 원장님 아드님과 제가 아는 사이라 큰 불편은 없었습니다."
[아드님이요?]
"예."
[아… 사실 저는 어제 도련님이 그쪽 집안 따님을 만나시는 줄 알았어요.]
"사업상 이유로 만난 자리니까요. 어느 분이 나오셔도 상관없었습니다."
[…그렇군요.]

잠시 침묵이 흘렀다. 어쩌면 형수님도 내가 그쪽 집안과 연을 맺기를 바라실지도 모르겠군. 루비는 제 형수의 가라앉은 목소리가 참으로 생소하다고 생각했다.

[저, 도련님.]
"네."

루영의 아내는 잠시 말을 멈췄다. 왠지 모를 긴장이 수화기를 타고 넘어오는 것만 같았다. 루비는 지금 이 공기를 채우는 어려움이 무엇인지 알 수 없어서 그냥 귀만 쫑긋 세우고 있었다.

[아무래도 말씀드려야 할 것 같아서요. 다들 비밀로 하고 있는 것 같아서…]
"무엇을요?"
[해송 양, 저희 집 나갔어요.]
"예?"
[저희 집 온 지 한 달도 안 돼서 나갔어요. 두 분 상황은 제가 잘 모르지만 이건 꼭 아셔야 할 것 같아서…]

루비는 그대로 굳은 듯이 멈췄다. 온몸의 피가 빠져나가는 것처럼 싸늘한 기운이 돌았다. 형수의 목소리는 어느새 멀어지고 해송의 말소리만 크게 맴돌았다. '기다리고 계세요. 다 잘 될 거예요.' 해송의 그 말은 그저 나를 안심시키고 떼어놓기 위해서였나? 이렇게 내가 아무것도 모르고 기다리는 동안 시간을 벌어 멀리 멀리 사라져 버리려고? 루비는 발밑이 꺼지는 느낌에 전화기가 놓인 서랍장을 짚고 몸을 지탱했다. 어떻게 끊겼는지도 모르는 전화기를 내려놓고 고개를 떨어뜨렸다.

거칠게 숨을 몰아쉬던 루비가 금방이라도 눈물이 넘칠 듯한 두 눈을 퍼뜩 치켜떴다. 아니다. 해송이는 그럴 리가 없다. 루비는 삽시간에 자신을 덮쳤던 불안과 의심을 힘껏 내던졌다. 제가 아는 해송은 그렇게 비겁한 사람이 아니었다. 자신과 눈을 맞추고, 얼굴을 쓰다듬고, 귓가에 속삭이고, 볼에 입 맞추던 해송은 분명 거짓 없이 진실한 얼굴이었다. 차라리 그 자리에서 저의 마음을 부수고 짓밟고 조각내 떼어버렸다면 모를까, 절대로 이렇게 헛된 기대와 시간을 방패로 숨을 사람이 아니었다.

순간 루비의 머리에 날카로운 기억이 하나 스쳤다. 루비는 곧장 계단을 뛰어올랐다. 쿵쾅쿵쾅 마룻바닥을 디디는 소리와 문이 열리는 소리가 커다랗게 집안을 울렸다. 루비는 허겁지겁 옷장을 열고 어제 입었던 옷 안주머니에서 편지를 꺼냈다. 출판사의 실수가 아니라면 저에게 홍옥이라는 표시를 할 사람은 단 한 사람뿐이었다. 찢듯이 열어낸 편지에는 익숙한 서체로 짧은 글이 쓰여있었다.

[8일 수요일. 한성호텔. 2시. 토끼풀 올림.]

루비는 암호 같은 글귀에 웃음을 터뜨렸다. 휘어지는 눈꼬리에 맺혀있던 눈물이 볼을 타고 흘러내렸다. 역시 해송은 틀리는 법이 없었다. 다 잘 될 거예요. 루비는 편지를 가슴 위에 올리고 두 손을 포갠 채 고개를 숙였다. 넘치는 눈물이 자유롭게 낙하했다. 흔들리는 어깨는 더 이상 애처롭지 않았다.

**

수요일 오후, 루비는 호텔 건물이 보이기 시작하자 걸음을 늦추고 호흡을 정리했다. 오늘따라 아버지의 출근이 늦은 바람에 계획했던 것보다 늦게 집을 나서게 됐다. 아직 2시가 되려면 시간이 좀 남아있었지만 그래도 미리 가서 기다리고 싶었던 터라 마음이 조급했다. 호텔 로비에 들어서 식당으로 안내를 받으면서 옷매무새와 머리를 정리했다. 자신이 가지고 있는 옷 중에 가장 좋은 것을 차려입고 나온 상태였다. 이제 곧 해송이를 보게 되겠지. 기억이 있는 순간부터 거의 평생을 봐왔고, 매일 매 순간 떠올리고 그리워하는 사람이지만 떨어져 있던 시간 때문인지 심장의 거친 박동이 멈추지를 않았다. 바짝 긴장한 루비는 얼굴이 약간 창백해질 정도였다. 마치 몰랐던 사람을 처음 보게 되는 것처럼 떨리고 초조했다.

마침내 식당 안에 들어섰을 때, 루비는 단박에 해송을 발견했다. 창가에 앉아 볕을 받고 있는 해송은 창밖에 시선을 두고 있었다. 옥색 저고리에 쪽빛 치마를 단정하게 다려 입은 모습은 그때와 똑같은 해송이었다. 정말로 해송이었다. 루비는 떨리는 손을 쥐었다 펴면서 울컥이는 마음을 삼키고 한 걸음씩 해송에게 다가갔다. 시선을 돌린 해송이 루비와 눈을 맞췄다. 해송은 아주 환하게 웃었다. 뒤로 쏟아지는 햇살이 온통 해송의 것처럼 보였다. 해송 앞에 선 루비가 메이는 목을 겨우 가다듬고 목소리를 냈다.

"해송아."

해송이 앉은 채로 손을 뻗어 루비의 손가락을 살며시 붙잡았다. 루비는 손 끝에서 타고 올라오는 감각에 흠칫 어깨를 떨었다. 해송이 여전한 목소리로 말했다.

"앉으세요."

해송이 루비의 손을 놓고 자신의 손을 다시 테이블 아래로 가져갔다. 루비는 아쉬움에 엄지로 자신의 네 손가락 끝을 쓸어보았다. 검지 끝에서 흉터 자국이 느껴졌다.

루비가 자리에 앉자 근처에 있던 종업원이 와서 주문을 받았다. 루비가 커피를 주문하며 보니 해송의 앞에는 이미 수정과 한 잔이 놓여있었다. 종업원이 자리를 뜨고 정적이 한 방울 떨어진 순간 해송이 동그랗게 모으고 있던 입술을 열었다.

"보고 싶었어요."

루비는 울컥 치미는 감정에 잠시 눈가를 찌푸렸다. 그러려던 것은 아니었지만 투정하듯이 말이 튀어나왔다.

"내가 편지를 못 받았으면 어쩌려구. 내가 못 나왔으면 어떡하려고 그렇게 비밀스럽게 나를 불렀어."
"그럼 나오실 때까지 몇 번이고 부르려고 했죠."

해송의 목소리를 들으면서도 루비는 분주하게 해송을 살폈다. 다행히도 어딘가 힘들거나 불편해 보이지는 않았다. 루비를 훑어보는 것은 해송도 마찬가지였다.

"도련님은 왜 아직도 마르셨어요. 다시 살이 오르셔야
 하는데."
"네가 없으니까."

해송은 처진 눈썹을 하고도 애잔하게 미소를 띠었다.
루비가 눈을 몇 번 깜박여 눈물을 말렸다.

"형 네 집에서 나갔다고 들었어. 그럼 지금 어디 있는
 거야?"
"큰 길가 정미소에서 경리로 일하게 됐어요. 같이 일
 하는 언니네서 하숙도 하고 있고요."
"왜 말해주지 않았어…"

타박을 하는 듯한 말마저도 상냥하게 끝이 끌리는 게
루비다웠다. 해송은 귀여울 만큼 옅은 원망 위로 걱정을
가득 담고 있는 루비의 눈을 들여다보았다. 루영의
집을 나오기 전 미진과 나눴던 이야기가 떠올랐다.

미진은 평생을 부잣집에서 집안일만 해본 해송이 갑자
기 혈혈단신으로 밖에 나가면 어떡하냐며 해송을 뜯어
말렸다. '해송아, 이런 데서 일하는 거 진짜 복이야. 너
다른 곳 가면 얼마나 험하고 힘든지 알아? 점잖은 집
안 분들에, 돈도 잘 챙겨주시고 가족처럼 대해 주시는

곳이 또 어디 있다고 그래. 너 진짜 후회해.' 그때 해송은 그동안 미진에 대한 고마움으로 그 앞에서는 꼭꼭 숨겨왔던 진심을 토해내고야 말았다. '언니, 이제 나이 집에 있을 이유가 없어. 일하기 좋은 거나 돈 같은 거 다 상관없어. 여기를 나가야 내가 도련님을 잡을 수 있어. 지금 나한텐 그게 중요해. 그것만 중요해.'

기억 속에서 빠져나온 해송은 다시 눈앞의 루비를 바라보았다. 역시 자신이 모든 것을 버리고, 모든 것을 걸어도 후회 없을 만큼 아름다운 사람이었다. 루비는 그 자체로 목적이 되는 사람이었다. 해송은 두려운 줄도 모르고 달려온 지난 두어 달의 결론을 이야기할 때라고 생각했다.

"다 준비되면 데리러 오려고요. 괜히 중간에 맴돌다가 들키지 않게, 안전할 때 말씀드리려고 그랬어요."
"…그게 오늘이야?"
"네."

루비의 눈시울이 붉어졌다. 용케 눈물은 떨어뜨리지 않고 있었지만 눈빛만으로도 그 요동을 모두 느낄 수 있었다. 그때, 종업원이 루비의 커피를 가져왔다. 그가 커피를 놓고 다시 테이블에서 멀어질 때까지 해송과 루비는 짧은 침묵으로 자신들의 감정을 가라앉혔다.

"제가 도련님 커피 한 잔은 사드릴 수 있을 때 말하고 싶었어요. 도련님이 없어도 저 혼자서 먹고 살 수 있을 때 데리러 가고 싶어서."

"내가 왜 없어…"

해송은 결국 참지 못하고 웃음을 터뜨렸다. 아, 우리 도련님. 순진하고 바보 같고 무모하고 맹목적이고… 너무도 사랑스러운 루비 도련님. 해송은 웃음기 어린 목소리로 말을 이었다.

"맞아요. 도련님은 있어야죠. 도련님 말고, 도련님 돈 없이 살 수 있을 때를 말한 거였어요. 도련님의 돈이나 보호 없이도 저 혼자 살아갈 수 있어야 우리가 서로 똑같이 볼 수 있으니까."

루비가 천천히 고개를 끄덕였다. 그리고는 앞에 놓인 잔을 들어 커피를 한 모금 마셨다.

"해송이가 사주는 커피 맛있다."

루비는 잔을 내려놓고 그대로 손을 테이블 위에 올려 해송 쪽으로 뻗었다. 해송이 그 손 위로 자신의 손을 포갰다. 말없이 시선을 맞추고 있던 루비가 문득 말을 꺼냈다.

"그런데 이제 나 해송이 도련님 아니잖아. 다르게 불러
야 하는 거 아니야?"
"…아니요."
"응?"
"이제는 제가 모시는 분들이 정말 아무도 없으니까.
따로 이름 붙일 필요 없이, 제가 도련님이라고 부를
사람은 김루비 하나뿐이니까."

루비가 드디어 만면에 웃음을 지었다. 시원하게 벌어지
는 입가와 가늘어지는 눈매까지. 해송이 오늘 보고 싶
었던 단 하나의 얼굴이었다. 해송은 루비를 잡은 손에
힘을 주었다.

*　*　*

해송이 생각한 오늘의 의미는 '자신의 상황과 마음을
전하는 날'이었지만, 루비에게는 조금 달랐던 듯했다.
루비는 그 길로 곧장 집을 나와 버렸다. 다시 집에 돌

아가서 짐을 싸거나 통보를 하는 것도 없이 해송과 함께 호텔 식당에서 나온 곧바로 다른 곳으로 향했다. 택시 사무소에 가서 기사에게 편지라고 하기에도 우스운 짧은 인사가 적힌 종이 한 장을 부탁한 다음, 집으로 보내고는 홀가분하다는 듯 웃는 것이 끝이었다.

얼떨떨한 해송이 루비가 이끄는 대로 걸음을 옮겨 도착한 곳은 아담한 주택이었다. 루비를 따라 집 안에 발을 들이고서야 해송은 이곳이 어딘지 눈치챘다. 전에 루비가 보여준 도면 중 자신이 맘에 든다고 한 집이었다. 직접 생활한 흔적은 없지만 가구와 세간살이들이 놓여 있었다. 해송이 혼란스러운 얼굴로 돌아보자 루비가 해맑게 웃으며 해송의 어깨에 두 손을 올렸다.

"아버지는 나를 가둘 줄만 아셨지, 밖에서 뭐 하고 다니는지는 관심 없으신가 보더라고. 집 산 것도 모르시고. 내가 맨날 책방 뒷길로만 다녀서 그런가?"
"아니…"
"해송이 짐만 가져오면 돼. …해송이가 괜찮으면."

해송이 얼마나 얼삐진 표정을 하는지도 모르고 루비는 마냥 쑥스러운지 뒷머리를 긁적이며 해송의 눈치나 살폈다. 해송은 자신이 서 있는 복도에서 보이는 거실과 부엌을 대충 둘러보고 말했다.

"어… 그래도… 도련님도 필요하신 거 챙겨 오셔야죠. 집 나온다고 말씀도 드리고…"
"중요한 건 그동안 미리 조금씩 다 옮겨놨어. 언제일지 는 몰라도 어쨌든 결국엔 이 집에 살 거였으니까."

루비가 오른편에 난 방문을 열자 안쪽에 책들이 절반 정도 꽂힌 책꽂이가 보였다. 해송은 자신이 열심히 준비한다고 생각했던 시간 동안 멈추지 않고 오히려 한발 앞서있던 루비가 놀랍고 대단했다. 나이가 많고 똑똑해도 내심 보살펴줘야 한다고 생각했었는데, 도련 님은 제 생각보다 더 어른스럽고 든든한 사람이었던 모양이었다. 해송이 방 안쪽을 들여다보자 뒤에 선 루비가 나지막이 말했다.

"이제 너만 오면 돼. 그게 가장 중요한 일이다."

해송은 천천히 뒤로 돌아 루비의 허리를 둘러 안았다. 해송의 얼굴이 가슴팍에 닿기도 전에 루비의 팔이 재 빨리 해송의 등을 끌어안았다. 해송은 작게 말했다.

"좋아요."

두 사람은 한동안 그렇게 서 있었다. 담백하기 그지없는

포옹이었지만 두 사람은 충만히 차오르는 그 순간을
충분히 만끽했다.

*   *   *

일을 마치고 귀가한 해송은 대문을 걸어 잠근 다음 집
안으로 들어가기 전에 겉옷을 벗었다. 어느새 날이 풀
려 저녁에도 외투가 답답할 만큼 따뜻했다. 작은 마당
을 채 다 지나지도 못했을 때, 문이 벌컥 열렸다.

"아가씨, 오셨어요?"

애교있게 인사한 루비가 대답할 틈도 없이 달려와 해
송을 와락 당겨 안았다. 해송을 안고 뒤뚱거리며 집 안
으로 들어가는 루비의 손에는 어느 틈에 가져갔는지
해송의 외투가 들려있었다.

"집에 있는 남편이 데리러 가지도 못 하고. 미안해,
여보."
"주말까지 마쳐야 하는 글이 있잖아요."

해송이 간단히 씻고 옷을 갈아입고 나오니 루비가 저녁 식사를 차리는 중이었다. 아직 간을 맞추는 것은 어려운지 국은 짰고 조기는 군데군데 검댕이 묻어있었지만 이제는 가짓수도 맞춰 꽤 그럴듯하게 소담한 밥상을 차릴 수 있었다. 두 사람이 함께 살게 된 후로, 루비는 식사와 빨래 만은 꼭 자신이 하겠다고 고집을 부렸다. 청소도 이른 아침이나 해송이 집을 비운 틈을 타서 미리 해놓았지만 그래도 해송이 하겠다면 말리지는 않았는데, 요리나 설거지는 해송이 좀 하려는 기미만 보여도 울상을 짓고 말려댔다.

'그동안 해송이가 나 해줬던 거 생각하면 평생을 해도 모자라.'

해송은 예전에 했던 일들로 그렇게 신경을 쓰는 것이 그리 이해되지는 않았지만 루비의 울적한 얼굴을 보는 게 속상해 그냥 루비가 바라는 대로 했다. 곱게만 살던 도련님이 밖에 나와 너무 고생을 하는 것은 아닌가 걱정이 될 때면 문득 귀한 아들과 멀어진 루비의 부모님에 대한 죄책감이 삐죽 튀어나오기도 했다. 하지만 그럴 때마다 루비는 태평한 얼굴로 느긋하게 말했다. 자식 셋 중에 둘이 맘에 드는 결혼을 했는데, 하나 정도는 멋대로 굴어도 되지 않겠어?

두 사람만 살게 된 집은 아늑하고 자유로웠다. 아무도 없으니 그 누구의 시선도 신경 쓸 필요가 없었다. 서로를 향한 태도와 말씨도 편안해졌다. 루비는 해송을 아가씨, 아씨라고 부르는 것을 좋아했다. 여보라고 하다가 해송의 이름을 부르기도 하고 존댓말을 했다가 평소처럼 말을 놓기도 했다. 해송은 대부분의 경우, 여전히 루비를 도련님으로 불렀지만 때때로 여보라는 호칭을 했다. 그럴 때면 루비는 헤벌쭉 웃으며 행복한 기색을 감추지 못하고 해송의 볼에 쿡쿡 입술을 박았다. 아주 가끔, 정말 드물게 해송이 루비의 이름을 부르는 순간이 있었다. 뒤로 어떤 말도 이어지지 않고 그저 '루비.'라고만 불렀는데 그럴 때면 루비는 심장의 두근거림을 삼키며 얌전히 해송의 곁을 지켰다. 보통은 아주 아름답거나 좋은 찰나를 함께 보내기 위해서였기 때문에 루비는 잠자코 기다리다가 그 찰나가 지나가면 해송에게 입을 맞췄다. 입술이 떨어지고 난 후 한껏 반짝이는 해송의 눈동자를 볼 때면 루비는 삶에 감사했다.

저녁 식사를 마친 두 사람은 뒷마루에서 차를 마셨다. 요즘은 날씨가 좋아 별이 잘 보였고 쌀쌀한 바람도 둘이 나란히 붙어 앉아 담요를 덮고 있으면 금방 포근하게 느껴졌다. 맨드라미 꽃차를 머금은 해송의 입술이 붉게 물들었다. 그 모습을 바라보는 루비의 눈빛도 더욱 깊게 물들었다. 루비의 시선을 느낀 해송이 고개를

돌려 루비와 눈을 맞췄다가 갑자기 뭔가를 깨달은 듯
이 자리에서 일어났다. 해송의 동작이 박새처럼 빨라서
루비는 뒤늦게야 마루에 걸터앉은 채로 엎드리듯 몸을
눕혀 해송이 들어간 쪽을 쳐다보았다.

"해송아, 왜?"

해송은 대답을 하는 대신 빠른 걸음으로 방에서 나
왔다. 해송의 손에는 종이로 싼 작은 무언가가 들려
있었다. 해송은 찻잔을 사이에 두고 루비의 옆에 걸
터앉았다. 루비는 의아함이 가득 담긴 둥그런 눈을
껌벅거렸다.

"도련님 생각나서 샀어요."

해송이 천천히 종이 포장을 열었다. 그 안에는 모양이
곱고 윤기가 나는 약과가 여러 개 들어 있었다.

"이건 해송이가 좋아하는 거잖아."
"그래도 보니까 도련님 생각나던 걸요. 생긴 게 고와서
그런가."

루비가 자신의 굽이치는 머리카락을 쓸어 올리며 소리
없이 웃었다. 해송은 그 모습이 퍽 수줍어 보인다고 생

각했다. 루비는 해송이 두 손으로 소중히 받치고 있는 종이 위에서 약과를 하나 집어 깨물었다. 달큰한 맛이 입 안에 퍼지고 그만큼이나 달콤한 미소가 루비의 얼굴에 퍼졌다. 해송은 위로 볼록 솟은 루비의 볼을 살며시 만져보았다. 봄바람에 흔들리는 나뭇잎 소리 속에서 두 사람은 서로의 눈을 마주 보고 웃었다. 서로를 그리워하는 것 말고는 아무 걱정도 없는 나날이었다.

- 홍옥 도련님과 바다 소나무 完